FRANCE, JE T'AIME JE TE QUITTE

L'Entente glaciale. Français-Anglais : les raisons de la discorde,
  Alban Éditions, juin 2004.

Ces croyants qui nous gouvernent, Éditions Payot, janvier 2006.

Christian Roudaut

France, je t'aime je te quitte

Ce que les Français de l'étranger nous disent

document

Fayard

ISBN : 978-2-213-64405-9
© Librairie Arthème Fayard, 2009.

À Laure, Kilian et Emilia…

Un hymne à Mère Patrie qui brise le talent et passe son cri sous silence

Une clameur se fait entendre et bat la mesure en cadence

« France ! » des fois je te hais, parfois tu m'émeus

Mais souvent je me tais car je sais qu'au fond je t'aime...

Grand Corps Malade,
Ça peut chémar.

INTRODUCTION

Cette France-là n'est ni d'en bas ni d'en haut, ni de droite ni de gauche, elle est d'ailleurs. Elle s'est installée de l'autre côté du Rhin, de la Manche, de l'Atlantique ou de la Méditerranée. Jamais il n'y a eu autant de Français à l'étranger. Ils sont aujourd'hui 2,5 millions à avoir fait leurs valises pour une vie hors des frontières. Ce phénomène migratoire, en constante progression depuis le début des années 2000, est en quelque sorte un rattrapage naturel. Comparés à leurs voisins britanniques, allemands ou italiens, les Français se montraient jusque-là peu aventuriers et très accrochés à leur « douce France ».

À l'heure de l'Europe élargie et de la globalisation, la France aurait pleinement pris conscience de la nécessité de planter un drapeau tricolore aux quatre coins de la planète. Les expatriés seraient ainsi les ambassadeurs du génie créatif français. Cette lecture positive du phénomène contredit l'image d'une France pusillanime et adepte du repli sur soi.

On peut aussi avancer une autre explication, moins angélique : cette soudaine humeur voyageuse trahirait un malaise grandissant. Les Français seraient de plus en plus nombreux à « fuir » un pays ne leur offrant que peu d'opportunités. Pour beaucoup, l'émigration prendrait des allures d'exil. Qu'ils soient chômeurs, non diplômés, étudiants, jeunes issus de l'immigration, chercheurs, enseignants, artistes, ingénieurs, cuisiniers, financiers, entrepreneurs…, ces Français de l'étranger auraient déserté une terre percluse de blocages, d'archaïsmes et de sinistrose, dans l'espoir de trouver ailleurs du travail et de meilleurs salaires.

Contradictoires en apparence, ces deux visions ne sont pas forcément irréconciliables. Un départ à l'étranger peut, à la fois, participer d'un élan positif (l'esprit d'aventure, l'envie de changer, d'avoir une expérience qualifiante) et constituer une fuite (le chômage, les bas revenus, la difficulté à entreprendre).

Passer plusieurs années hors des frontières peut changer profondément la vision que l'on a de son propre pays. L'éloignement géographique s'accompagne alors d'une prise de distance presque anthropologique par rapport à sa patrie. Ce qui paraissait naturel hier semble soudainement étonnant, frustrant ou, au contraire, formidable.

Cette redécouverte de la France peut donner l'impression (et peut-être l'illusion) d'une plus grande clairvoyance. Les expatriés ont parfois la faiblesse de penser qu'ils ont mieux compris que leurs compatriotes de l'intérieur ce qui ne tournait pas rond dans l'Hexagone. Sur cette vieille République qui patauge dans la mare stagnante de ses certitudes, la tribu disparate des Français du dehors peut tenir des propos plus durs encore que les « déclinologues » les plus pessimistes. Leur diagnostic est souvent sombre, sévère, dérangeant, parfois injuste, et à coup sûr irritant pour tous ceux qui voient les « expats » comme de prétentieux donneurs de leçon.

Entre ces deux France, le dialogue n'est pas toujours des plus aisés. La première soupçonne la seconde de barytonner plus haut que son séant en portant sur « l'amère patrie » des jugements hautains et péremptoires, avec en prime un léger accent étranger affecté. La France du dehors s'impatiente, elle, du refus bien gaulois d'accepter le changement et les réformes.

Ce livre se propose de renouer les fils du dialogue en faisant entendre la voix de ces quelque 2,5 millions de Français à travers le monde. Bien des ouvrages de visiteurs étrangers, écrivains ou journalistes, ont déjà été écrits sur la France avec le regard tour à tour intrigué, amusé et irrité de l'observateur extérieur. Il s'agit, ici, de laver le linge sale en famille.

Disons-le tout de suite, les expatriés ne sont pas tous devenus des Tocqueville par la seule vertu du voyage et de l'éloignement. Certains d'entre eux recréent même, en terre étrangère, cette France qui leur manque tant, à tel point qu'on peut s'interroger sur les raisons de leur départ. Cependant, ils sont loin de constituer une majorité. Beaucoup sont partis, avec un esprit ouvert, pour s'enrichir (dans tous les sens du terme) et non « pour chercher des Gascons en Sicile », suivant le propos sarcastique de Montaigne. Ceux-là portent un regard neuf sur leur pays et ont une furieuse envie de témoigner de l'expérience qu'ils rapportent dans leurs valises. Ils ont l'audace de penser que la patrie autoproclamée des Droits de l'homme, des belles lettres et des esprits raffinés peut aussi apprendre de ce qui se fait ailleurs.

L'idée n'est pas d'aller chercher au loin toutes les solutions aux problèmes intérieurs ni d'œuvrer à la fin de l'exception française pour lui substituer un magma informe d'inspiration anglo-saxonne. Bien au contraire, nombreux sont les Français de l'étranger qui ont appris à chérir une qualité de vie et des valeurs dont le manque se fait cruellement sentir avec l'éloignement. Il s'agit donc de porter un jugement à la fois critique et constructif sur la France, à travers les témoignages de ses citoyens disséminés à travers le monde.

Il est possible qu'en tournant ces pages le lecteur s'agace de ce dérangeant miroir qui lui est tendu. Une fois encore, les témoins cités ici n'ont pas tous, par la magie de l'expatriation, acquis la science infuse. Le point de vue de ceux qui ont quitté la France n'a ni plus ni moins de valeur que l'opinion de ceux qui y sont restés. Il est tout simplement différent.

L'auteur a pris le parti de se concentrer sur les zones géographiques où les communautés françaises sont les plus importantes en nombre, en l'occurrence l'Europe et l'Amérique du Nord (avec quelques témoignages venant du Japon, de Chine et d'Australie). Ce choix donne certainement à cette enquête un tropisme occidental qui nécessite une justification préliminaire.

Il ne s'agit pas de prétendre que la France n'aurait rien à apprendre des pays moins développés économiquement. Le degré d'avancement d'une nation ne se mesure pas uniquement à son PIB. Mais, l'idée de cette enquête étant de suggérer des pistes de réflexion sur certains blocages hexagonaux, il paraissait justifié de choisir des États ayant un niveau de développement économique, social et démocratique comparable à celui de la France.

Car l'intention est bien d'ouvrir des fenêtres sur l'extérieur et de prendre part au débat sur la constante nécessité d'adapter notre vieux pays au monde actuel. Aux premières loges de la globalisation, les 2,5 millions de Français de l'étranger sont idéalement placés pour nourrir cette réflexion.

Le rappel de Londres

2002-2007 : la déclinologie vient de vivre ses cinq glorieuses. Durant ces cinq années, le broyage de noir a été l'industrie la plus florissante de France. Le Pen au second tour de la présidentielle, une canicule meurtrière, le « non » français à l'Europe, des banlieues en flammes, la crise du CPE, un pouvoir d'achat en panne... Durant cette période maudite, les théoriciens du déclin français n'ont pas eu à forcer leur imagination : le scénario de leurs best-sellers s'est écrit tout seul. Il leur a suffi de tremper leur plume dans l'encre noire de l'actualité pour populariser la thèse d'une France qui tombe en lambeaux. Comme s'il fallait soigner le mal par le mal, les lecteurs se sont arrachés leurs écrits crépusculaires et se sont shootés au pessimisme.

Pour faire bonne mesure, le Comité international olympique a privé la France de son dernier rayon de soleil en préférant Londres la dynamique à Paris la belle endormie pour l'organisation des jeux de 2012. Un rien responsable de ce dernier revers (certains membres du CIO n'ont pas oublié ses diatribes contre les pays de l'Est et la cuisine finlandaise), Jacques Chirac a fièrement présidé à ces cinq ans de marasme. Il termine son second mandat, cette fois bel et bien « vieilli et usé », suivant la formule maladroite utilisée cinq années auparavant par son adversaire Lionel Jospin.

Bref, tout le monde déprime. Enfin, presque tout le monde… Tel l'irréductible village gaulois, une communauté de Français résiste aux assauts de la sinistrose. Cette France n'a pas avalé de potion magique. Elle s'est simplement installée sous des cieux moins ténébreux. De Londres, Berlin, Madrid, Genève, Bruxelles, Montréal, New York et d'ailleurs, les 2,5 millions de Français établis hors de France ont suivi, à distance, les soubresauts d'une actualité hexagonale que les médias internationaux prennent un malin plaisir à relayer. Car le déclin « made in France » est un produit qui s'exporte à merveille. Les envoyés spéciaux – américains et anglais, en particulier – égrènent avec gourmandise les malheurs de cette vieille nation en guerre constante contre elle-même. Les Français de l'étranger, eux, ne trouvent aucune raison de se réjouir des malheurs de la mère patrie. Ils n'ont qu'une seule satisfaction : ne pas être sur le paquebot France en des temps si maussades.

Mais tout a une fin. Et la déclinologie, elle aussi, finit par décliner. Les Français se mettent à rêver d'un homme ou, pour la première fois, d'une femme providentielle. La campagne présidentielle fait naître l'espoir d'un nouveau départ. En ce début d'année 2007, les deux favoris de la course à l'Élysée entonnent le refrain bien connu du changement et de la rupture.

Nicolas Sarkozy chante d'autant plus fort qu'il n'a aucun intérêt à être associé aux années Chirac. Après tout, depuis 2002, le meilleur ennemi du président sortant a été de presque tous les gouvernements, un petit détail que lui rappellent sans cesse ses adversaires. Il lui faut donc forcer le trait et rejeter en bloc le passif de son ancien mentor, coupable d'un immobilisme criminel.

Le 30 janvier 2007, c'est à Londres, une ville solidement ancrée dans la mythologie gaulliste, que Nicolas Sarkozy vient planter son dernier clou dans le cercueil du chiraquisme. Jusque-là, le vote des Français de l'étranger ne pesait guère dans la stratégie des QG de campagne. Avec dorénavant plus de deux millions de compatriotes installés hors de France, il devient risqué de faire l'impasse sur ces « voix du dehors ». Le nombre des inscrits sur les listes électorales à l'étranger a doublé par rapport à 2002 et a été multiplié par six depuis 1981, passant de 132 059 à 822 944. Thierry Mariani, député du Vaucluse, était le mandataire du candidat Sarkozy auprès de ces électeurs expatriés. Pour lui, ces chiffres furent une révélation : « Le vote des Français de l'étranger n'était plus anecdotique. C'était

800 000 personnes qui votaient dans une élection que l'on annonçait relativement serrée au départ. L'idée est donc venue de faire un vrai meeting à l'étranger. C'était une première. »

Pour l'équipe de campagne de Nicolas Sarkozy, le choix de Londres s'impose comme une évidence. La capitale britannique correspond parfaitement à cette image de dynamisme et de modernité que le candidat de l'UMP veut projeter. Mais Londres est surtout une « circonscription » électorale de poids. La Grande-Bretagne abrite l'une des communautés françaises les plus importantes au monde. Sur la base des immatriculations auprès du consulat de Londres, le nombre de Français vivant au Royaume-Uni dépasse les 300 000 ; plus de la moitié résident dans la capitale. Les plus fortunés ont élu domicile dans les quartiers ouest : Chelsea, Chiswick, Putney et, surtout, South Kensington, surnommé le « XXIe arrondissement ». Mais une majorité de « *froggies* » vivent en fait en dehors de ce ghetto doré où l'on coasse un français distingué en lisant *Le Monde* à la terrasse des cafés.

Depuis la fin des années 90, l'âge d'or de la « *Cool Britannia* » de Tony Blair, nombre de jeunes Français ont traversé la Manche pour trouver un travail ou gagner un meilleur salaire. Les journaux parlent d'une « ruée vers Londres » et d'un nouvel « Eldorado européen ». La France regarde au-delà de la Manche avec une pointe de jalousie.

Ce 30 janvier 2007, c'est donc sur les rives de la Tamise que le candidat Sarkozy est venu convaincre les Français de l'étranger de lui apporter leurs précieux suffrages. La section UMP de Londres a rameuté beaucoup de monde… trop de monde. Pour des raisons de sécurité, un bon millier de personnes ont été refoulées à l'entrée du Old Billingsgate Market où se tient le meeting. De dépit, des mécontents scandent « Ségolène, Ségolène » sur le trottoir.

Nicolas Sarkozy est visiblement heureux de retrouver cette France qui ne traînasse pas au fond de son lit : « Il y a, dit-il, tous ces Français qui partent parce qu'ils ont le sentiment qu'il n'y a pas de place pour eux en France (…). Ils partent parce qu'ils ont le goût de la réussite et que la réussite se heurte à trop d'obstacles. Ils partent parce qu'ils ont le goût du risque et que le risque est mal vu. Ils partent parce qu'ils ne trouvent pas d'emploi. Ils partent parce que l'effort n'est pas récompensé. Ils partent parce que le travail ne paye pas. Ils partent parce que leur envie de vivre, leurs aspirations, leurs ambitions se heurtent partout à des règles, à des statuts, à des routines, à des réflexes d'un autre âge. Ils partent parce qu'ils se heurtent à l'immobilisme, au conservatisme, au malthusianisme. »

Cette France immobile, conservatrice et malthusienne (en un mot mitterrando-chiraquienne), Nicolas Sarkozy promet de la changer de fond en comble. Avec lui à la tête du pays, l'expatriation ne sera plus synonyme d'exil : « À celui qui est parti parce qu'à ses yeux la France n'était plus tout à fait la France, parce que la France l'avait déçu, parce qu'il ne voyait plus comment il pouvait inscrire sa propre destinée dans le destin commun (...) je veux dire qu'il n'y a pas de fatalité au déclin. À celui qui a quitté la France parce qu'à ses yeux la France avait perdu le goût du risque et de la réussite je veux dire qu'ensemble nous pouvons les lui redonner (...). À tous les expatriés qui sont malheureux de la situation de la France et de leur départ je veux dire "revenez !". »

Pour un peu, on croirait Nicolas Sarkozy lui-même exilé à Londres depuis cinq ans et ayant laissé le soin à un autre d'occuper les fonctions de ministre de l'Intérieur puis de l'Économie. On s'attendrait presque à l'entendre paraphraser la fameuse formule du général de Gaulle sur Vichy et décréter que le régime de Jacques Chirac « n'était pas la France ».

Mais qu'importe que ce candidat à la mémoire sélective ait été au gouvernement durant les cinq années écoulées. Ce soir-là, son auditoire ne voit pas en lui le ministre qu'il est encore pour quelques mois mais le président de la rupture et du renouveau qu'il promet d'être pour les cinq ans à venir. Il a su trouver les mots justes et exprimer les frustrations et le malaise ressentis par tant de Français de l'étranger. Son « revenez ! » a soulevé des espoirs chez tous ces électeurs exilés à qui l'« appel de Londres » était adressé.

De New York à Berlin, de Genève à Pékin, de Montréal à Dakar, plus d'un Français se prend à rêver. Et si « Sarko » était ce Margaret Thatcher français capable de faire le sale boulot, d'engager des réformes impopulaires pour remettre le pays sur les rails ? Et si son énergie et son volontarisme pouvaient venir à bout des archaïsmes, des conservatismes et des corporatismes ? Et si l'heure d'acheter son billet retour pour la France était enfin venue ?

Comme son adversaire, Ségolène Royal s'est aussi lancée à la chasse aux « voix du dehors ». Et c'est chez la chancelière allemande Angela Merkel (un message subliminal à l'attention des électeurs ?), qu'elle a choisi de tenir un meeting devant les expatriés. Le 5 mars 2007, la candidate socialiste arrive à Berlin en terrain favorable : les Français d'outre-Rhin votent traditionnellement à gauche. Ségolène Royal, élevée dans les Vosges, non loin de la frontière franco-allemande, se sent suffisamment en confiance pour gratifier son auditoire de quelques phrases dans la langue de Goethe. À Londres, « Sarko l'Américain » avait eu la prudence de ne pas ânonner son anglais de niveau cours élémentaire. Ségolène Royal s'en sort honorablement. La salle salue l'effort, même si sa déclaration n'est pas de nature à éclipser le « *Ich bin ein Berliner* » historique de John F. Kennedy.

Après cinq ans passés sur les bancs de l'opposition, Ségolène Royal serait, en théorie, mieux placée que son adversaire pour lancer un appel à rentrer dans une France promise à une nouvelle ère. Au lieu de cela, elle se contente de rendre un hommage convenu à ces 2 millions de Français dont la présence à l'étranger est « essentielle pour le rayonnement de la France ». À l'inverse du candidat de l'UMP, elle refuse d'aborder l'expatriation sous l'angle de la fuite et du rejet d'une France qui donnerait envie de prendre ses jambes à son cou. Pas une seule fois la candidate du « désir d'avenir » n'évoque ces conservatismes hexagonaux supposés ôter tout désir de revenir.

Certes, Nicolas Sarkozy n'a pas manqué, lui non plus, de saluer le courage des expatriés (« Ceux qui partent étudier aux États-Unis ou travailler à Londres ou à Pékin ne laissent pas la France. Ils la servent »). Mais son message s'adressait aussi et surtout à tous ceux partis « par désespoir, par dépit, parce qu'ils ne trouvent pas d'issue ».

Dans un même discours, le candidat de l'UMP offre une double lecture de l'expatriation, à la fois « bonapartiste » et « orléaniste », pour reprendre la fameuse typologie des droites élaborée par le politologue René Rémond. Lecture « orléaniste » et libérale, car Nicolas Sarkozy voit d'un bon œil une libre circulation des hommes, des capitaux et des marchandises. Mais également « bonapartiste » dans la mesure où une solide croyance en « la grandeur de la France » l'incite à voir l'émigration française comme une anomalie. Si l'on quitte la France de son propre chef, sans être envoyé à l'étranger par son entreprise ou son administration, n'est-ce pas le signe évident d'un malaise ? Sinon, pourquoi se priverait-on du plaisir de vivre dans un pays aussi exceptionnel ? Le torse bombé par la fierté d'être français, cette famille de pensée de la droite ne se résout pas à l'idée que l'on puisse, de gaieté de cœur, opter pour la citoyenneté du monde.

Le nombre de départs à l'étranger serait dès lors un baromètre du moral de la nation. Quand les choses vont mal dans l'Hexagone, les Français auraient tendance à voter avec leurs pieds. L'ancien président du RPR, Philippe Séguin, n'avait-il pas décrit le flux de ces jeunes quittant la France de Lionel Jospin pour l'Angleterre de Tony Blair comme « la troisième grande vague d'émigration française », référence à l'exode des huguenots fuyant l'intolérance religieuse sous Louis XIV et des aristocrates préférant l'exil aux échafauds de la Révolution française ?

La gauche regarde l'expatriation d'un œil encore plus circonspect, mais pour des raisons bien différentes. Pour commencer, cette France de l'étranger l'a toujours malmenée dans les urnes. « La gauche n'aime pas beaucoup l'expatriation, atteste Richard Yung, sénateur socialiste des Français de l'étranger. Les expatriés sont vus comme des nababs, des gens qui profitent et qui fraudent. Ceux qui partent à l'étranger sont des mauvais Français qui vont plan-

quer leur pognon. La gauche considère qu'ils déser-
tent le front des luttes. À l'Assemblée nationale, j'ai
même entendu comparer les expatriés aux émigrés
de Coblence de 1791, c'est-à-dire ceux qui pacti-
saient avec l'étranger. Et ça venait des bancs de la
gauche ! » Dès lors, dans l'univers feutré du Palais du
Luxembourg, il n'est pas évident de faire entendre la
voix de ces « mauvais Français » : « Au niveau de la
représentation politique, nous sommes pris moyen-
nement au sérieux, ça fait un peu bananier. »

Hubert Védrine conteste cette idée d'une gauche
se méfiant de l'expatriation. Aux yeux de l'ancien
ministre des Affaires étrangères, cette perception
varie grandement en fonction des motivations qui
ont poussé les uns et les autres à faire leurs valises :
« Si ce sont des jeunes Français qui partent à Londres pour gagner des salaires extravagants de traders,
évidemment, la gauche ne trouve pas ça génial. Si
c'est de l'évasion fiscale, forcément, ce n'est pas
bien, et même les gens de droite ne peuvent pas
approuver. À la rigueur, ils peuvent être favorables à
des mesures de compréhension et de clémence qui
permettent le retour. Quant aux jeunes qui partent
pour des grandes entreprises globales et mondiales, il
me semble que ça n'est critiqué ni à droite ni à gauche. Il reste ensuite un courant "droitdelhommiste",
tous ces jeunes qui veulent travailler pour une
ONG, c'est un autre courant bien vu de la gauche.
Ça dépend des phénomènes. On ne peut pas dire

que globalement la gauche désapprouve l'expatriation, ou que la droite juge que les gens partent uniquement à cause des contraintes et des prélèvements sociaux. Il faut distinguer : les arguments ne sont pas les mêmes groupe par groupe. »

L'évasion fiscale reste, en tout cas, l'une des grandes obsessions de la gauche. L'une des premières mesures du gouvernement Mauroy fut d'instaurer un contrôle rigoureux des transferts de capitaux vers l'étranger. Sous le gouvernement Jospin, le ministre de l'Économie, Dominique Strauss-Khan, inventa l'« exit-tax » pour rendre moins attrayantes les délocalisations motivées par des raisons fiscales. Pendant la dernière campagne de la présidentielle, le même DSK revenait à la charge et suggérait de taxer les expatriés fortunés ne payant pas d'impôts en France, même s'ils étaient déjà soumis au fisc de leur pays de résidence. Au final, cette proposition d'une double imposition, contenue dans un rapport remis à la candidate Ségolène Royal, ne fut pas retenue. Cette proposition, de toute façon difficilement applicable, laissa malgré tout l'impression d'une gauche confondant un peu rapidement expatriation et évasion fiscale.

Ces différents préjugés aident à mieux comprendre l'opposition farouche des députés socialistes à la création de 12 sièges à l'Assemblée nationale représentant la France du dehors. Actuellement, les expatriés sont uniquement représentés à la Chambre haute du Parlement, par les 12 sénateurs des Français de l'étranger (9 UMP, 2 socialistes et 1 apparenté communiste). Cette réforme, voulue par Nicolas Sarkozy et permise par une révision constitutionnelle, a été interprétée par la gauche comme un cadeau que la droite s'offrait à elle-même en vue des prochaines élections législatives.

Il est vrai que cette France expatriée a longtemps été un corps électoral très conservateur. En 1981, si les Français de l'étranger avaient été les seuls à décider de l'issue du scrutin, Valéry Giscard d'Estaing aurait été triomphalement réélu avec 68,41 % des voix. Et dès 1988, Jacques Chirac se serait confortablement installé à l'Élysée avec 59,25 % des votes. En 1995, Lionel Jospin aurait été ridiculisé avec seulement 41,44 % des suffrages.

Mais le temps où cette France de cadres supérieurs, de financiers, de techniciens du pétrole et de coopérants votait comme un seul homme pour le candidat de droite est désormais révolu. Ce sont, désormais, des Français de tous âges, de toutes conditions sociales et de toutes sympathies politiques qui vivent et travaillent à l'étranger. Ce bouleversement sociologique va trouver son reflet dans les résultats de la présidentielle de 2007...

Persuadé d'avoir assuré l'essentiel, Nicolas Sarkozy rentre de son escapade londonienne requinqué, voire euphorique. À l'entendre, il vient de remplir le stade de Wembley : « Ils n'avaient pas vu ça depuis les Beatles[1] », confie-t-il à un entourage qui n'ose ramener l'ami de Johnny Hallyday et de Dick Rivers à un peu plus d'humilité. Pourtant, trois mois plus tard, on est bien loin de la « Beatlemania ». Certes, Nicolas Sarkozy a été élu et bien élu. Mais son score à l'étranger est en net recul par rapport à ses prédécesseurs de droite. Le nouveau président a recueilli 53,99 % des suffrages contre 46,01 % à Ségolène Royal, soit un petit point de mieux que la moyenne nationale. Pour la première fois, les expatriés ont abandonné leur tropisme droitier et voté à l'unisson avec le reste du pays.

« La grande leçon, c'est que les Français de l'étranger ne sont plus une catégorie à part, analyse Thierry Mariani, le secrétaire national UMP en charge de cette question. Grâce notamment à l'Internet, leurs réactions sont désormais beaucoup plus conformes à celles des Français de métropole. Le score de Nicolas Sarkozy a été moins important que prévu. Il faut dire la vérité : nous étions déçus parce que nous avions un message clair vis-à-vis de l'étranger et de vrais réseaux. »

Le 26 mars 2008, Nicolas Sarkozy est de retour au pays des Beatles, mais cette fois en qualité de chef de l'État. Depuis sa dernière visite, les choses ont bien changé : le président a une nouvelle épouse et le

---

1. Yasmina Reza, *L'aube, le soir ou la nuit*, Paris, Flammarion, 2007.

Royaume-Uni, un nouveau Premier ministre. Cette fois, c'est Carla Bruni-Sarkozy qui peut se vanter d'éblouir les Anglais. La première dame de France pourrait bien fanfaronner à son tour qu'« ils n'avaient pas vu ça depuis Diana » que personne n'y trouverait à redire.

Durant une visite d'État où chaque minute est comptée, le couple présidentiel a tout de même pris le temps de rencontrer la communauté des Français de Londres. Dans les jardins de la résidence de l'ambassadeur, une somptueuse marquise a été dressée pour l'occasion. La chaleur y est telle que Carla enlève son manteau fuchsia d'un geste gracieux qui, un bref instant, donne à l'estrade présidentielle des allures de catwalk. À la vue de ses bras nus, la moitié de l'assistance manque de défaillir.

Ce sera le seul temps fort de ce « tête-à-tête » avec les Français de Grande-Bretagne. Le discours de Nicolas Sarkozy n'est qu'une redite de ce que la presse a déjà entendu une demi-douzaine de fois, y compris son inusable plaisanterie sur la semaine des 35 heures (« Il y a un seul point positif : c'est la seule idée pour laquelle on n'a pas besoin de déposer le brevet. Personne ne veut nous la prendre ! »).

Pour le reste, l'homme qui s'est installé à l'Élysée dix mois auparavant n'est plus d'humeur à exhorter les foules à rentrer au pays. Le « revenez ! » lancé à

Londres un an plus tôt s'est transformé en un appel moins ambitieux : « J'ai besoin que vous disiez à vos familles, à vos amis restés dans l'Hexagone : voilà ce qu'est le monde. Que vous leur expliquiez que cela change ailleurs, donc que cela doit changer chez nous. C'est extrêmement important. »

La veille, dans un Parlement de Westminster plein comme un œuf, Nicolas Sarkozy s'est lancé dans un énième éloge du génie britannique : « Vous êtes un exemple pour nous, et nous devons nous inspirer de ce que vous avez fait durant ces vingt ou trente dernières années. »

En ce 26 mars 2008, les premiers icebergs de la crise financière se profilent à l'horizon mais Sarko l'anglophile continue de s'émerveiller de l'impression de puissance qui se dégage du paquebot britannique. En comparaison, le navire France, privé pendant trop d'années d'un capitaine jeune et courageux, ne fait-il pas figure de vieux rafiot miné par d'incessantes mutineries ?

Six mois plus tard, la crise heurte la Grande-Bretagne de plein fouet : le gouvernement Brown doit voler au secours des grandes banques du royaume, le marché immobilier s'effondre, la livre sterling plonge et le chômage repart brutalement à la hausse... Le vieux navire français est, lui aussi, violemment secoué mais sa double coque – un plus grand interventionnisme étatique – semble l'avoir mieux protégé contre la déferlante.

Avec une étonnante rapidité, les rôles se sont inversés et les commentateurs anglais, si prompts à disserter sur les lourdeurs hexagonales, mettent désormais une sourdine à leurs critiques. Les journalistes français, eux, ne se privent plus de pointer les faillites d'un système britannique présenté, pendant plus de dix ans, comme le modèle à suivre. Un correspondant français basé à Londres jette un pavé dans la Manche en publiant un livre au titre provocateur : « Le naufrage britannique »[1].

Oubliés ces jeunes Français épris d'aventure et de liberté se ruant vers Londres, il n'est désormais plus question que de traders de la City au chômage fuyant le radeau de la Méduse pour être recueillis, sans le sou, sur les rivages de la Côte d'Opale. C'est toujours « la génération Eurostar », mais dans le sens inverse.

Comme bien souvent, la réalité statistique est moins théâtrale que ne le suggèrent les gros titres de la presse. Le retour peu glorieux de centaines de cow-boys de la finance n'est pas une invention de journaliste. Assurément, la capitale britannique a perdu de son pouvoir d'attraction. Pour autant, loin d'indiquer un sauve-qui-peut général, les chiffres du consulat de Londres suggèrent un trafic transManche nord-sud moins dense qu'on ne le dit. Il y aurait même, encore aujourd'hui, plus d'arrivants que de partants. Au 31 décembre 2007, 104 835 Français

---

1. Jacques Monin, *Le Naufrage britannique*, Paris, La Table ronde, 2009.

étaient inscrits au consulat de Londres, au 31 décembre 2008, ils étaient 108 340, et 109 995 au 1er mai 2009. Soit une progression de près de 5 % ! Certes, le nombre d'immatriculés n'offre qu'une photographie partielle, une forte proportion de ressortissants français omettant de s'inscrire auprès des autorités consulaires. Mais, si imparfaite soit-elle, cette mesure statistique ne suggère pas une désertion de masse des îles Britanniques.

Trois ans plus tard, que reste-t-il de l'« appel de Londres » de Nicolas Sarkozy ? Une chose est sûre : les consulats français à travers le monde n'ont pas constaté un flux massif de retours dans cette France sarkozienne censée redevenir « une grande nation où chacun pourrait réaliser ses projets, devenir responsable de son propre destin ». Les instituts de sondage enregistrent, en revanche, une nette augmentation du nombre des déçus du sarkozysme à l'intérieur comme à l'extérieur des frontières.

Pierre-Yves Gerbeau est l'un d'entre eux. Cet entrepreneur français avait rêvé d'un nouveau départ à la tête de l'État qui aurait pu, un jour, lui donner l'envie de retraverser la Manche pour de bon. Le jeune patron de X-Leisure, la plus grosse entreprise britannique de loisirs, attend toujours ce vent de la réforme et du dynamisme qui devait souffler sur la France : « J'avais voté contre un système établi et pour voir un petit rottweiler mettre un peu le souk dans tout ça. Aujourd'hui, il y a une grande frustration, il y a plein de gens ici qui avaient fondé beaucoup d'espoirs en se disant qu'il n'entrait pas dans les cases, qu'il allait casser le système et remettre en place des structures permettant de relancer l'économie et le modèle entrepreneurial français. Eh bien non, il est rentré dans le rang, et visiblement il aime bien être dans le rang. Je suis très déçu et frustré. »

Naturellement, la personnalité d'un président de la République et la politique de son gouvernement ne déterminent pas, à elles seules, les mouvements migratoires. Des tas d'autres variables entrent en ligne de compte. Néanmoins, Nicolas Sarkozy n'avait-il pas promis des changements radicaux à tous les expatriés « malheureux de la situation de la France et de leur départ » ?

« Si le résultat d'une élection à 20 heures suffisait à changer un pays, ce serait bien. Malheureusement, nous n'avions pas cette illusion, argumente le député UMP Thierry Mariani, sur le thème bien connu de la Rome antique qui ne s'est pas faite en un jour. Je crois que les choses changent progressivement et que l'image de notre pays est radicalement différente. On a un président qui ne se contente pas de gérer la situation actuelle mais qui veut, petit à petit, changer la France en sachant que l'on tombe dans la pire situation économique depuis longtemps. »

Le volontarisme et l'hyperactivité de Nicolas Sarkozy ont peut-être quelque peu dissipé le parfum de somnolence qui accompagna les années Chirac. Mais, si l'on accepte l'idée, avancée par le candidat Sarkozy lui-même, que les expatriés votent avec leurs pieds, alors il semblerait que le pays se soit réfugié dans l'abstention : ni rejet ni adhésion, ni départs ni retours massifs dans la France de Sarkozy. À mi-parcours du mandat de celui qui avait promis tant de changements, la France de l'extérieur attend.

Émigration clandestine

Il y a ceux qui voient l'émigration française d'un bon œil, ceux qui la voient d'un mauvais œil, et ceux qui ne la voient pas du tout... L'Institut national de la statistique et des études économiques, ce temple de l'objectivité chiffrée à qui rien n'est censé échapper, se range dans cette dernière catégorie. Du point de vue de l'Insee, les expatriés français sont comme des boomerangs : ils finissent toujours par revenir au point de départ. Dès lors, à quoi bon s'échiner à comptabiliser leurs mouvements ? Pour établir le solde migratoire de la France, l'Insee aurait pris l'habitude de n'enregistrer que les entrées et sorties des seuls étrangers. Pour nos statisticiens de génie, le solde migratoire des nationaux serait nul !

Hervé Lebras, démographe français de renommée internationale et directeur de recherche à l'École des hautes études en sciences sociales, ignorait totalement ce postulat jusqu'au jour où il a découvert un mystérieux trou noir dans la statistique nationale. C'est au cours de l'une de ses recherches, en comparant les chiffres des recensements de 1990 et de

1999, qu'il s'est aperçu que l'appareil statistique avait pris l'habitude d'ignorer un phénomène pourtant de plus en plus marqué : l'émigration française. « Au premier coup, je n'y ai pas cru, confie-t-il. J'ai fait apparaître des courbes sur mon ordinateur et honnêtement je pensais avoir fait une erreur. Ma méthode est toute bête, elle peut être expliquée à un enfant de sixième. Je regarde les individus qui ont, mettons, trente ans en 1990. Ils en ont trente-neuf en 1999. Donc, on doit en trouver le même nombre, moins les décès et les personnes ayant quitté le territoire. »

Or, les chiffres auxquels aboutit le démographe diffèrent sensiblement des statistiques de l'Insee qui reposent sur l'idée erronée que les départs et les retours des Français sur le territoire s'équivalent et donc s'annulent. Avec sa méthode explicable à un élève de sixième, Hervé Lebras conclut que le solde migratoire des nationaux est loin d'être nul. Selon lui, ce sont des dizaines de milliers d'émigrants français, jeunes pour la plupart, qui auraient ainsi échappé aux radars de la statistique officielle pendant des années. En prenant la pleine mesure de l'émigration française, on obtient un solde migratoire global (à savoir les nationaux et les étrangers) bien différent. Entre les deux recensements de 1990 et de 1999, l'Insee concluait à un excédent de 52 000 personnes chaque année. Hervé Lebras arrive lui à un chiffre de seulement 6 000 par an durant cette décennie. Cette découverte dépasse le simple débat de spécialistes et remet en cause certaines idées reçues concernant les flux migratoires sur le territoire national. Avec un léger excédent de 6 000 par an, la France devient une terre d'émigration pratiquement au même titre qu'un pays d'immigration. Or c'est une réalité que la « sous-évaluation », plus tard admise par l'Insee, contribue à escamoter.

Faut-il y voir une attitude de déni face à l'émigration considérée, inconsciemment ou non, comme une forme de paupérisation ? « Il y a ce dogme de la France terre d'immigration, analyse le démographe, qui voit là l'expression d'un "conservatisme français". Les Français ont une vision archaïque : il ne peut y avoir qu'une immigration de pauvres qui viennent définitivement se fixer chez nous tandis que nous, bien sûr, nous ne pouvons pas quitter notre beau pays ».

Une vieille expression allemande, empruntée au yiddish, ne décrète-t-elle pas que l'on vit « heureux comme Dieu en France » ? Malgré leur proverbiale insatisfaction, les Français resteraient ainsi prisonniers de cette vision ethnocentriste de la terre natale où il fait si bon vivre qu'il semble impensable de la quitter pour une longue période et encore moins définitivement. L'admettre serait reconnaître une dévalorisation et une dégradation du pays. D'où cette nécessité de garder, consciemment ou non, à l'émigration française son caractère furtif pour ne pas dire clandestin.

Le terme « expatriation » lui-même trahit une certaine méfiance vis-à-vis du phénomène : il induit une notion de contrainte. Dans sa définition du mot, le Petit Robert suggère d'ailleurs les synonymes suivants : *bannissement, déportation, émigration, exil, expulsion, proscription.* Le mot continue de véhiculer une notion de rupture, de coupure presque brutale : l'« ex-patrié » fuit son pays.

Que la langue française n'ait pas réussi à trouver un mot moins péjoratif est en soi symptomatique : « Je n'aime pas du tout le terme "expatriation". Il a une connotation tragique, inutilement tragique, confie Hubert Védrine, ministre des Affaires étrangères dans le gouvernement Jospin. S'expatrier, ça correspond vraiment à des époques où partir à l'étranger était une aventure énorme, souvent sans espoir de retour. Il y a un côté gars désespéré qui s'engage dans la Légion ou gars ruiné qui part s'installer dans les colonies. "Émigration" serait un terme plus exact, sauf que nous avons tendance à l'appliquer aux migrants africains ou autres... En plus, on utilise le même mot pour désigner des phénomènes complètement différents. »

Bonne mère, la République est pourtant bien loin de laisser tomber ses enfants éparpillés à travers la planète. Les Français de l'étranger bénéficient en effet du deuxième réseau consulaire au monde, derrière les États-Unis ! Où qu'il se trouve, un Français n'est jamais très loin d'un drapeau tricolore flottant sur un bâtiment officiel. N'en va-t-il pas du fameux « rayonnement de la France » ? La formule a beau être ronflante à souhait, il n'en reste pas moins vrai qu'un solide maillage d'institutions aide la patrie à « rayonner » : 156 ambassades, 98 postes consulaires et 500 agences consulaires, 252 établissements scolaires, 148 instituts culturels, 283 Alliances françaises, 169 missions économiques, 114 chambres de commerce et d'industrie…

Les droits et les intérêts des Français établis hors de France sont même défendus par une institution que préside le ministre des Affaires étrangères : l'Assemblée des Français de l'étranger. Composée de 155 conseillers élus dans 52 circonscriptions électorales à travers le monde, l'AFE envoie 12 sénateurs au palais du Luxembourg. Aux prochaines élections législatives, en 2012, la visibilité politique des Français de l'étranger devrait encore s'accroître avec, pour la première fois, l'élection au suffrage universel direct de 12 députés qui défendront les intérêts de cette « France hors de France ». Peu d'États peuvent s'enorgueillir d'offrir à leurs concitoyens de l'étranger un dispositif administratif et politique aussi élaboré.

Dès lors, n'est-il pas abusif de considérer la France comme un pays refusant de regarder son émigration en face ? Tous les efforts faits par l'État français pour garder un lien fort avec ses ressortissants ne témoignent-ils pas du fait que l'expatriation est un

phénomène parfaitement assimilé, reconnu et valorisé ? Finalement, l'« oubli » de l'Insee ne serait-il
pas qu'une simple maladresse statistique sans conséquence, nullement symptomatique d'un supposé
conservatisme français ? C'est une lecture possible…
Mais en y regardant de plus près, ce choix assumé de
maintenir une attache solide avec les Français de
l'étranger ne contredit pas la thèse du déni statistique avancée par Hervé Lebras. On pourrait même
prétendre qu'elle la renforce.

Persuadée de sa vocation universelle, la France a
tendance à voir ces quelque 2,5 millions de Français
établis à l'étranger comme autant d'ambassadeurs
dont la mission serait de faire briller la culture et
l'esprit des Lumières sur la Terre. Ils ne sauraient
être des émigrés qui ont coupé le cordon ombilical
ou même pris leurs distances avec la mère patrie
mais des citoyens qui prolongent ailleurs la mission
civilisatrice de la République.

Ainsi parlait Nicolas Sarkozy, le 30 janvier 2007,
lors de son meeting de Londres : « Je crois profondément que la France n'est pas qu'à l'intérieur de ses
frontières. La France qui est un idéal et pas seulement un territoire, la France qui est toujours plus
grande lorsqu'elle cherche à l'être pour les autres que
lorsqu'elle cherche à l'être pour elle-même, la France
est partout dans le monde où se trouvent des Français. Elle est partout où l'on est attaché à sa culture,
à ses valeurs, à sa pensée. Partout dans le monde où

il se trouve une personne qui croit en la France, là se trouve la France. »

C'est donc ça : les Français n'émigrent pas, ils rayonnent ! Ils s'installent aux quatre coins de la planète avec, dans leurs valises, les valeurs des Droits de l'homme et le bon goût français qui vont illuminer le reste du monde. Une fois leur rayonnement accompli, nos si nombreux ambassadeurs finissent toujours par regagner cette patrie dont il est impossible de se tenir éloigné trop longtemps. Un nombre équivalent de nouveaux arrivants viendraient à leur tour illuminer les autres pays, assurant ainsi ce parfait « turn-over », ce jeu à somme nulle rêvé par l'Insee. Las, le « trou statistique » découvert par Hervé Lebras indique que bon nombre d'expatriés ne se bousculent pas pour revenir sur le sol natal. Les départs des Français pour l'étranger sont loin d'être compensés par les retours en France.

Qui sont donc ces émigrés français que la statistique officielle ignore ? Par plusieurs recoupements, on sait qu'il s'agit d'une population essentiellement jeune. Dans les pays industrialisés, la moyenne d'âge tournerait autour de trente ans. « Mais de quels jeunes parle-t-on ? interroge Hervé Lebras. Ceux dont les parents avaient immigré durant les Trente Glorieuses et qui supportent mal leur marginalisation, la discrimination et le chômage élevé et utilisent alors l'un des seuls biens à leur disposition outre leur audace, leur passeport français ? Ou alors des jeunes diplômés, qui s'insèrent mieux et plus vite dans d'autres pays européens ou en Amérique, notamment par le moyen de post-doctorats ? Ou encore des non-diplômés qui, à la manière des jeunes sans formation quittant le nord et l'est de la France pour la Provence et le Languedoc, tentent leur chance sous des cieux plus cléments ? »

Poser ces questions dérangeantes, c'est s'interroger sur les motivations qui poussent à quitter la France. La réponse est évidemment complexe. S'agit-il majoritairement d'une « expatriation positive » ou d'une « expatriation négative », de jeunes recherchant une aventure valorisante à l'étranger ou bien de jeunes fuyant un pays qui ne leur donne pas leur chance ?

Au ministère des Affaires étrangères, on préfère mettre l'accent sur l'« expatriation positive ». Le sous-directeur des affaires sociales et de l'expatriation de la Maison des Français de l'étranger, Éric Lamouroux, reconnaît volontiers que certains compatriotes peuvent fuir les blocages et conservatismes avérés ou supposés de la France, mais c'est, à ses yeux, un phénomène relativement marginal : « Sur le plan intellectuel, je pense qu'on peut se poser cette question légitimement. Après tout, quand ça ne va pas on a envie d'aller voir ailleurs. En même temps, si l'on regarde avec le recul, on se rend compte que le Français s'expatrie peu ; est-ce qu'il est si mal que ça en France ? Je n'en suis pas sûr. La vraie motivation de l'expatriation, elle n'est pas dans ces généralités-là. Les choix de s'expatrier sont des équations très personnelles. »

Est-ce à dire qu'en appelant au retour « tous les expatriés malheureux de la situation de la France », le candidat Sarkozy aurait prononcé des « généralités » vides de sens auxquelles seuls les naïfs auraient eu le tort de croire ? Le futur président n'aurait-il donc fait, à Londres, qu'un peu d'esbroufe de campagne pour séduire l'électorat français installé à l'étranger ? Soudainement, un ange passe dans le bureau parisien du haut fonctionnaire. Éric Lamouroux évoque son statut qui lui interdit de s'aventurer sur le terrain politique. Connaissant le tempérament volcanique de son chef suprême, on peut comprendre sa réserve toute diplomatique…

De fait, il est tout à fait possible de quitter la France sans y être « malheureux ». C'est le cas de nombreux expatriés. Vu sa qualité et son niveau de vie, la France n'est pas précisément un pays que l'on cherche à fuir sur une frêle embarcation au péril de son existence. Mais il n'est nul besoin d'être placé dans une situation aussi extrême pour quitter le sol natal. Le désenchantement poussant au départ peut prendre des formes plus subtiles et moins visibles.

Cette catégorie de « Français malheureux de la situation de la France », selon l'expression de Nicolas Sarkozy, existe… L'auteur n'a pas eu à chercher bien longtemps pour les trouver. Il suffit d'ailleurs de laisser flâner sa souris sur des forums d'expatriés pour comprendre que la frustration constitue, plus souvent qu'on ne veut bien l'admettre, une forte incitation au départ.

Éric Lamouroux concède que « le taux de retour est difficilement chiffrable » mais présume que la vie hors de France reste, pour l'immense majorité, une simple parenthèse de trois à cinq ans destinée à donner au CV « un vernis international ». Pourtant, à en juger par une enquête en ligne réalisée en 2008 par l'organisation qu'il dirige, la Maison des Français de l'étranger, le nombre des expatriés prolongeant leur séjour hors des frontières au-delà de cinq ans est loin d'être marginal : 32 % des sondés résidaient à l'étranger depuis plus de cinq ans, dont 16 % depuis plus de dix ans.

« Les déçus de l'expatriation, ça existe aussi », ne manque pas de rappeler Éric Lamouroux. Un séjour prolongé à l'étranger peut, en effet, faire découvrir que l'herbe n'est pas forcément plus verte ailleurs… surtout quand elle est recouverte d'un épais manteau de neige : « Prenez l'exemple du Canada. C'est un pays qui accueille beaucoup d'étrangers, qui a une politique bien connue d'appel vis-à-vis de l'immigration. Mais dans la pratique tous les métiers sont verrouillés par des ordres professionnels. C'est un marché du travail qui est bien plus fermé que le nôtre où il faut des équivalences, souvent province par province. »

Malheureuse ou pas… quel visage a donc cette France du dehors ? Où a-t-elle posé ses valises ? Depuis quand s'aventure-t-elle hors des frontières hexagonales ? Une analyse attentive des recensements passés permet de tracer un parallèle assez net entre l'émigration française et le contexte économique. Les départs vers l'étranger deviennent statistiquement significatifs à partir du milieu des années 1970, après le premier choc pétrolier et le début d'un chômage de masse. Le phénomène de l'émigration démarre alors tout doucement et se poursuit, encore assez timidement, jusqu'à la fin des années 1980. C'est à partir du milieu des années 1990 que le flux prend une réelle ampleur ; il progresse, depuis ces dix dernières années, au rythme d'un accroissement annuel de 3 à 4 % de la population française vivant à l'étranger.

Il est clair que la liberté de circulation autorisée par l'Union européenne et la globalisation de l'économie ont largement contribué à l'humeur voyageuse d'un peuple français de nature plutôt casanière. Car il y a encore de la marge avant de voir la France se vider de ses forces vives. Les 2,5 millions de Français vivant sous d'autres cieux sont à comparer aux 6 millions de Britanniques, 5,5 millions d'Allemands, 6 millions d'Italiens et 4,5 millions d'Espagnols résidant hors de leurs frontières. Malgré leur tendance récente à prendre le large, les Français sont encore loin d'être devenus des citoyens du monde !

Faut-il y voir un repli sur soi ? Une peur française de la globalisation ? Hubert Védrine a planché sur le sujet à la demande de Nicolas Sarkozy et a remis au président un épais rapport sur la question en septembre 2007. S'appuyant sur son travail, il conclut que les Français ne sont pas plus effrayés par la mondialisation que leurs principaux partenaires commerciaux : « J'ai pu montrer que la légende selon laquelle il y aurait une attitude française particulièrement critique par rapport à la mondialisation était complètement fausse. J'ai trouvé exactement les mêmes sondages chez les Américains et les Anglais. C'était drôle d'ailleurs, quand je rédigeais ce rapport, en 2007, le *Financial Times* publiait une énième enquête sur le sujet montrant que, en Angleterre, en Allemagne, aux États-Unis, il y avait aussi une majorité de gens pour trouver plus d'inconvénients que d'avantages à la mondialisation... La réalité est que tous les peuples des pays développés, qui ont beaucoup à perdre, voient la mondialisation avec circonspection depuis vingt ou trente ans, contrairement aux élites qui y ont toujours été très favorables et ont essayé d'entretenir la légende selon laquelle, la mondialisation c'était "*win-win*". Contrairement à ce qu'on raconte il n'y a pas de spécificité française. Après, certes, il y a une constante historique : il y a des pays d'où l'on émigre beaucoup, parce qu'on y est malheureux, d'autres où il y a un goût de l'aventure et du commerce qui est plus grand. C'est moins le cas de la France mais, en même temps, il y a des communautés françaises à l'étranger extrêmement dynamiques. J'ai donc tendance à penser que le contraste n'est pas si grand. »

Les Français ont peut-être l'âme moins vadrouilleuse que d'autres peuples, il n'empêche : petit à petit, leur présence hors des frontières ne cesse de croître. Certes, cette progression n'est pas simplement due aux expatriations – il faut aussi prendre en compte les naissances de Français à l'étranger et les naturalisations – mais, incontestablement, la France ne se résume plus à l'Hexagone et à ses Dom-Tom. Aujourd'hui, 2,5 millions de Français vivent à l'étranger. C'est, *grosso modo*, l'équivalent de la population des Bouches-du-Rhône ou des quatre départements d'outre-mer réunis.

Ce chiffre n'est d'ailleurs qu'une extrapolation. Les statistiques du ministère des Affaires étrangères nous renseignent simplement sur le nombre des inscrits auprès des consulats français : ils étaient 1 427 046 au 31 décembre 2008. Or cette démarche administrative n'est pas obligatoire et beaucoup d'expatriés ne jugent pas utile de la faire (surtout dans les pays limitrophes et sans grands risques sécuritaires).

Malgré d'inévitables approximations, le « registre mondial des Français établis hors de France » fournit des informations précieuses, à commencer par la répartition géographique d'une population présente dans 160 pays différents. Sans surprise, près de la moitié des Français de l'étranger résident en Europe (48 %), suivie de l'Amérique (20 %) et de l'Afrique (15 %). Ceux qui résident en Asie-Océanie et au Proche- et Moyen-Orient ne représentent respectivement que 8,5 % et 6,6 % des inscrits mais ce sont les deux régions qui enregistrent la plus forte croissance : + 10 % et + 12,6 %.

Les vingt pays qui comptent le plus d'inscrits sont, dans l'ordre : la Suisse (138 349), les États-Unis (117 076), le Royaume-Uni (112 660), l'Allemagne (106 842), la Belgique (90 588), l'Espagne (82 050), le Canada (68 075), Israël (56 585), l'Italie (46 224), le Maroc (36 818), l'Algérie (34 718), le Luxembourg (24 809), la Chine (22 231), les Pays-Bas (21 282), Madagascar (19 821), le Liban (18 225), la Tunisie (17 980), le Brésil (17 773), le Sénégal (16 882) et le Mexique (15 378).

En revanche, si vous voulez retrouver vos compatriotes en petit comité, voici quelques destinations où vous êtes assuré d'éviter la foule des « expats » : l'Irak (25), la Papouasie-Nouvelle-Guinée (37), le Vatican (49), la Moldavie (65), la Biélorussie (82), l'Albanie (90), l'Ouzbékistan (94), la Mongolie (101), le Botswana (114) ou encore le Rwanda (124)[1].

Les chiffres du ministère des Affaires étrangères nous renseignent aussi sur un point rarement mis en

---

1. Chiffres du ministère des Affaires étrangères au 31 décembre 2008.

avant : le poids des « binationaux ». Quarante-cinq pour cent des Français établis à l'étranger jouissent de la double nationalité. Ce chiffre englobe tous les cas de figure possibles : les Français qui ont pris la nationalité de leur pays d'accueil (souvent, mais pas uniquement, à la faveur d'un mariage), les étrangers qui ont adopté la nationalité française de leur conjoint, les enfants nés hors de France d'un parent français et d'un parent étranger, les immigrés naturalisés en France rentrés ensuite dans leur pays d'origine… Tous les Français de l'étranger ne sont donc pas forcément des « émigrés » ou des « expatriés », certains n'ont même jamais vécu dans l'Hexagone. Tous n'ont pas le même degré d'attachement à la France ni un contact régulier avec ce pays dont ils ont la citoyenneté.

Dessiner le visage de cette France du dehors n'est donc pas chose aisée. Tout d'abord, cette communauté n'a pas de contours nettement définis. L'expatriation des Français ne suit pas une trajectoire collective consciente, déterminée par un événement ou un contexte particulier et dirigée vers une ou des destinations privilégiées, comme ce fut le cas des diasporas arménienne, russe, irlandaise, italienne ou espagnole.

Il faut remonter dans le temps pour retrouver une France de l'étranger véritablement constituée en diaspora. À la fin du XVIIᵉ siècle, l'intolérance religieuse, qui culmina avec la révocation de l'édit de Nantes en 1685, obligea environ 200 000 huguenots à trouver refuge dans des pays protestants. À la fin du XVIIIe siècle, c'est la Révolution qui poussa des dizaines de milliers de Français sur les chemins de l'exil. Au début, il s'agissait d'aristocrates antirévolutionnaires se regroupant hors des frontières et pactisant avec l'ennemi dans l'espoir de restaurer la monarchie absolue (« les émigrés de Coblence »). Cette première vague fut bientôt grossie par celle des citoyens français de toute opinion et de toute condition fuyant la Terreur.

De nos jours, Dieu merci, ce n'est plus la menace de la guillotine qui incite à faire ses valises. En ces temps moins agités, l'émigration française s'apparente à une somme d'expériences migratoires motivées par des choix individuels plutôt qu'à un vaste courant qui suivrait un « pattern » déterminé.

Le caractère plus individualiste que collectif de l'émigration française n'empêche pas le bouche-à-oreille, la présence d'amis ou de proches à l'étranger d'être une invitation supplémentaire à émigrer. Mais, une fois sur place, même si des contacts avec quelques compatriotes seront toujours utiles, il ne faut pas trop compter sur une prise en charge intégrale par la « communauté ». Non pas que les Français, une fois « exilés », s'ignorent mutuellement – la vitalité du tissu associatif à l'étranger témoigne du contraire –, c'est tout simplement que le groupe, dans son ensemble, ne se sent pas investi d'une mission d'aide vis-à-vis des nouveaux arrivants.

« Certains groupes nationaux fonctionnent non seulement comme des diasporas mais pratiquement comme des lobbies, c'est souvent le cas aux États-Unis, constate Hubert Védrine. Historiquement, les communautés françaises ont souvent été individualistes et n'ont pas cherché à s'organiser sur place. La plupart des gens (ce sont d'ailleurs souvent des personnalités fortes et dynamiques) n'entretiennent pas vraiment le lien. Ceux qui s'organisent, c'est plutôt pour faire pression sur le gouvernement pour leur assurer une aide, une protection, une évacuation, un système scolaire... »

Sur les « expats », les idées reçues ne manquent pas. Ils sont souvent perçus comme des nantis croulant sous les primes d'éloignement, d'extraterritorialité, de vie chère et quantité d'avantages en tout genre (voiture et logement de fonction, frais de scolarité des enfants, etc.)

Tous ces clichés ne sont pas dénués de fondement surtout si l'on se réfère aux personnes envoyées de France par leur entreprise ou leur administration. Mais, sans être une espèce en voie d'extinction, les « détachés » (selon la terminologie en cours au ministère des Affaires étrangères) sont aujourd'hui nettement moins nombreux à vivre à l'étranger sous le régime français, essentiellement pour des raisons d'économies. Désormais, la majorité des expatriés doivent se contenter d'un contrat local, généralement aux conditions moins avantageuses que ce que proposerait la « douce France ». Ces émigrés suivent habituellement une démarche plus personnelle, plus aléatoire, et sont loin d'avoir toujours une idée arrêtée sur leur date de retour. Dans ce livre, la parole a avant tout été donnée à ces « Français caméléons » qui se fondent dans l'environnement de leur pays d'accueil plutôt qu'aux « Français escargots » qui se déplacent à l'étranger avec la France sur le dos.

Selon une enquête en ligne de la Maison des Français de l'étranger, réalisée en 2008, 60 % des personnes interrogées perçoivent une rémunération au-dessus de 30 000 euros nets par an (dont 26 % gagnant plus de 60 000 euros nets annuels). Ceci explique cela : le niveau scolaire et universitaire des expatriés est sensiblement supérieur à la moyenne nationale. 82 % des sondés ont au moins suivi un cycle court (un ou deux ans après le bac). Ces données signalent donc une émigration française plutôt « haut de gamme ».

Jeune, mobile, aventurier, parlant une ou plusieurs langues étrangères... C'est aujourd'hui le portrait-robot de l'expatrié français, un profil bien éloigné du stéréotype du coopérant bien logé et trop nourri, vivant en vase clos et se tenant soigneusement à l'écart de la population locale. Ainsi, l'Afrique, qui a fait les beaux jours des fonctionnaires, des militaires et des techniciens du pétrole, n'abrite plus aujourd'hui que 15 % des Français de l'étranger contre près du quart en 1985 ! Progressivement, la

France de l'extérieur s'est débarrassée des oripeaux de l'exotisme et du conservatisme qui lui donnaient sa teinte néocoloniale.

Quant aux « exilés fiscaux » qui font tant parler d'eux, leur nombre est statistiquement insignifiant : ils forment un petit cercle sans commune mesure avec leur gloire médiatique. Pour devenir un exilé du fisc, encore faut-il avoir une fortune conséquente à placer sous des cieux moins hostiles !

Au final, même si elle reste plus qualifiée et mieux rémunérée que la moyenne de la population hexagonale, l'émigration française s'est nettement démocratisée au fil des années. L'« expatriation à papa » a vécu. La France de l'étranger est désormais bien plus diverse d'un point de vue sociologique, ethnique et politique, reflétant en cela plus fidèlement le visage de la « France de l'intérieur ». Et c'est pour cette raison que son regard sur les faiblesses et les atouts de la France présente aujourd'hui autant d'intérêt.

Liberté, Égalité, Réalité

Ils quittent un pays – officiellement le leur – qui ne leur offre souvent que le choix entre le chômage et des boulots peu gratifiants. « Ils », ce sont des jeunes Français issus de l'immigration. Combien sont-ils à tenter leur chance à l'étranger ? Des dizaines ou des centaines de milliers ? On aimerait le savoir. Mais avisez-vous de poser la question à l'administration française et vous recevrez une réponse courroucée.

Dans notre République idéale où règnent l'égalité et la fraternité, les statistiques n'ont pas de couleur. Qu'il soit d'origine berrichonne, périgourdine, normande ou d'ascendance algérienne, marocaine ou béninoise, un Français est un enfant de la patrie, point final. Dans ce pays merveilleux où « tous les hommes naissent libres et égaux en droit », la question de l'origine ethnique est hors sujet. Chacun le sait : tout le monde a les mêmes chances de réussir à l'école, de se faire contrôler dans la rue, d'être accepté à l'entrée d'une discothèque, d'obtenir un logement, de trouver un emploi, d'accéder au proverbial « ascenseur social ».

Dès lors, pourquoi poser cette question incongrue – et de surcroît anticonstitutionnelle – de l'origine ethnique de nos expatriés ? Sur le principe, cette achromatopsie officielle est louable, presque touchante. Il est juste dommage que la vraie vie soit si éloignée de ces idéaux républicains. Faute de statistiques sur le sujet, il est impossible de savoir si les enfants « issus de l'immigration » ou des départements et territoires d'outre-mer s'expatrient plus que la moyenne nationale. La réponse serait probablement lourde d'enseignements. En effet, les témoignages et les observations sur le terrain suggèrent désormais une forte présence (une surreprésentation ?) à l'étranger de ces fameuses minorités visibles qui restent invisibles aux yeux de l'administration française.

Hamid Senni a été élevé dans un respect presque religieux de la République. Son père, un ouvrier marocain, lui vantait sans cesse les mérites d'un pays où, en bossant dur à l'école, on ne pouvait que s'en sortir. Hamid a donc suivi les conseils paternels : dans sa cité HLM de la banlieue de Valence, il a été le premier à décrocher le bac et à faire des études supérieures.

Mais le joli mythe de l'égalité des chances commence à se fissurer quand il se met à rechercher un travail à la fin des années 1990. Son DESS en sciences économiques, son dynamisme débordant, sa rage de réussir et de s'extirper de son milieu social laissent de marbre les entreprises. Malgré des dizaines de CV envoyés à droite à gauche, il ne reçoit pas une seule offre d'emploi, pas même une modeste proposition de stage. Bizarre : visiblement, ses camarades de promotion de l'université de Grenoble ont tous été plus chanceux. Hamid Senni finit par se demander si son origine maghrébine ne constituerait pas un léger handicap. Ne lui a-t-on pas ouvertement conseillé de changer de prénom pour éviter le classement vertical de son CV ? Finalement, Hamid garde son patronyme mais décide de changer... de pays. Si la France ne lui laisse que le choix entre la valise et le chômage, ce sera la valise.

Petit miracle de l'expatriation : ce jeune diplômé dont personne ne voulait en France enchaîne rapidement les postes à responsabilité à Stockholm chez Ericsson, à Oxford chez CarnaudMetalbox, à Londres chez British Petroleum. « Si j'étais resté en France, je n'aurais jamais eu ces opportunités. J'aurais été comme les autres dans le quartier : au RMI. Et après les gens diraient de moi que je suis là à gratter de l'aide sociale française, soupire Hamid Senni. C'est ce que beaucoup de gens ne comprennent pas. Dans les quartiers, on gave les jeunes d'indemnités parce qu'ils n'ont accès à rien d'autre. Même le travail qui requiert un minimum de qualification – disons : poissonnier à Auchan –, même ce boulot-là, vous ne le décrochez pas, malgré vos diplômes. Résultat : vous êtes au RMI. »

C'est cette chronique d'un gâchis ordinaire que Hamid Senni raconte dans un livre émouvant au titre évocateur : *De la cité à la City*[1]. Comment ne pas prendre conscience de la violence symbolique que représentent ces portes que l'on claque à la figure des jeunes des banlieues ayant fait tout ce qu'on attendait d'eux pour sortir de leur cité par le haut ? N'est-ce pas là le plus sûr moyen de créer des désillusions et du ressentiment ? Ne fournit-on pas à ceux qui n'ont aucune volonté de travailler le prétexte idéal pour continuer de vivre d'expédients et de trafics puisque, au bout du compte, toutes les issues sont bloquées ?

En Suède et en Angleterre, Hamid découvre un monde de l'entreprise où les compétences et la motivation comptent plus que le nom, les origines et le code postal. Pour la première fois de sa vie, il se sent reconnu, jugé pour sa valeur et non plus sur la base de critères extra-professionnels. Que le/la salarié(e) ait un turban ou un voile sur la tête, qu'il/elle soit noir(e) ou de type arabe, n'a aucune espèce d'importance, seuls comptent ses résultats et sa productivité. Le reste n'est que littérature.

Pragmatiques, les entreprises britanniques tendent à voir la diversité comme un atout commercial en ce qu'elle est un reflet de la société. À l'inverse, le patronat français a plutôt tendance à se dire qu'un

---

1. Hamid Senni, *De la cité à la City*, Paris, L'Archipel, 2007.

salarié d'origine étrangère fait fuir l'aimable clientèle. En 1994, le directeur de l'ANPE, Michel Bon, avait dit tout haut ce que beaucoup de patrons français pensaient peut-être tout bas. Lors d'un colloque, évoquant l'importance du relationnel entre clients et employés dans les activités de services, ce grand patron passé par les meilleures écoles avait déclaré tout de go : « Malheureusement, il y a des gens avec lesquels on a du mal à se sentir de plain-pied. Ce sont les étrangers. » Se basant sur son expérience à la tête des magasins Carrefour, il précisait sa pensée : « Et plus la couleur est foncée, et plus on a du mal à se sentir de plain-pied. » L'affaire fit grand bruit mais ne l'empêcha pas de poursuivre sa brillante carrière à la tête de France Télécom…

Depuis le milieu des années 1990, le patronat a peut-être un peu évolué sur cette question mais le monde de l'entreprise en France ne brille toujours pas par sa diversité. Déçu, Hamid Senni avait secrètement espéré qu'après son élection Nicolas Sarkozy prendrait le problème à bras le corps et mettrait les entreprises face à leurs responsabilités : « Il aurait pu convoquer tous les patrons du CAC 40 pour les obliger à agir, mais il n'a rien fait. »

À l'inverse de la France, l'État britannique a pris le taureau par les cornes pour lutter contre toutes les formes de discrimination raciale dans la société et dans le monde du travail. La Commission for Racial Equality a été créée en 1976. Dotée de moyens et de pouvoirs conséquents, l'institution est tout sauf une coquille vide... Un homme politique britannique l'a même un jour comparée à la « la sainte Inquisition ». Dans notre chère République où l'égalité est pourtant élevée au rang de vertu cardinale, il aura fallu attendre l'année 2004 pour que la Halde, la haute autorité de lutte contre les discriminations et pour l'égalité, voie le jour. Étant donné ses moyens limités, comparés à ceux de son homologue britannique, les employeurs français peuvent dormir tranquilles : ils ont peu de chances de finir sur un bûcher.

Dans leur politique de recrutement, les administrations et les entreprises britanniques appliquent, depuis belle lurette, le principe dit de l'« *equal opportunity* » qui s'efforce de garantir à tous un accès équitable au travail. Il ne s'agit pas d'appliquer une discrimination positive aveugle, en réservant des postes à tel ou tel groupe, mais de favoriser les candidatures issues de la diversité. Les Britanniques n'étant pas effrayés par les statistiques ethniques, les chiffres parlent d'eux-mêmes : ils permettent d'identifier les entreprises et les administrations qui font réellement des efforts.

En France, les pratiques discriminatoires et le racisme ordinaire sont des mauvaises herbes que les autorités ne se donnent pas la peine de traiter sérieusement. Comment ne pas y voir un manque de volonté de la part d'un pays pourtant réputé pour son interventionnisme étatique ? Une fois n'est pas coutume, la France applique en la matière un « laisser-faire, laissez-passer » contraire à sa tradition. Ce paradoxe est rarement relevé : la Grande-Bretagne et les États-Unis n'ont pas la réputation d'interférer à tout bout de champ dans la vie de leurs administrés, malgré cela ces deux pays ont su mettre en place des institutions et des mesures énergiques pour lutter contre toutes les formes de discrimination. Certes, le racisme est loin d'y avoir disparu mais au moins les autorités affichent-elles un volontarisme qui semble inexistant en France.

La frustration des minorités dites visibles ne tient pas tant au fait que ce racisme ordinaire existe (elles ont très tôt appris à vivre avec), mais au fait que l'État français, claironnant sans cesse ses valeurs universelles, fasse aussi peu pour combattre des pratiques si peu conformes à l'idéal républicain.

Originaire de Guadeloupe, Arold Teplier a pris conscience de ce grand décalage entre le discours et la réalité quand il est venu poursuivre ses études en métropole. En région parisienne, le jeune Antillais découvre rapidement que les propriétaires appliquent en toute impunité, non pas la préférence nationale chère à Jean-Marie Le Pen, mais la préférence... raciale. Plus d'une fois, le logement qui vient juste d'être loué lorsqu'il arrive au rendez-vous redevient vacant quand c'est sa petite amie, de nationalité allemande, qui se présente après lui.

Une fois son BTS d'études commerciales en poche, Arold Teplier se lance dans la recherche d'un travail. Là encore, son curriculum vitae, qui plaisait tant sur le papier, ne suscite plus que quelques questions de pure forme lors des entretiens d'embauche. Avec l'expérience, les candidats de couleur ont développé un sixième sens qui leur permet de dire, en entrant dans la salle de l'entretien, s'ils ont ou non une chance d'obtenir le poste. Arold s'est maintes fois plié à la mascarade et a « fait son show », comme il dit, tout en sachant que la partie était perdue d'avance.

Bien entendu, le racisme, c'est toujours les autres. L'agent immobilier est désolé mais c'est le propriétaire qui ne veut pas... Le propriétaire voudrait bien mais il doit tenir compte du voisinage... La DRH serait intéressée mais il y a le patron... Le patron n'aurait pas d'objection mais il faut penser à la clientèle... Fatigué de ces atermoiements hypocrites, Arold Teplier finit par mettre les voiles vers un pays où le respect de la différence n'est pas qu'un concept abstrait déconnecté du réel : les Pays-Bas.

À Paris, il lui avait fallu dix mois avant de décrocher son premier boulot. Au bout de trois semaines, Arold Teplier trouve un bon poste à Amsterdam sans parler un traître mot de néerlandais. Pour la première fois dans sa vie active, il se sent enfin jugé sur son potentiel et non plus sur des préjugés tenaces. En France, il avait fini par amputer de son CV son expérience professionnelle aux Antilles qui n'était jamais prise au sérieux. Aux Pays-Bas, Arold n'a plus peur d'évoquer sa période guadeloupéenne pour laquelle beaucoup de ses employeurs potentiels montrent un intérêt marqué.

Installé depuis six ans à Amsterdam avec sa femme et leur bébé, ce Guadeloupéen de vingt-six ans occupe aujourd'hui des fonctions de cadre, en tant que gestionnaire de comptes pour de grosses entreprises. Arold Teplier vient même de monter sa propre société qui développe le concept d'un immo-bilier écologique. Plus important encore, il a retrouvé à l'étranger ce que la France lui avait fait perdre : sa confiance en lui. « Quand je suis parti de Guadeloupe, c'était pour faire évoluer ma vie profes-sionnellement. Après deux ans en métropole, j'avais perdu toute confiance en moi. Maintenant, quand je retourne en France ça se passe beaucoup mieux, parce que je sors d'un environnement où j'ai l'esprit libre. Mes amis à qui je viens rendre visite me trou-vent désormais très ouvert. Ils voient le changement par rapport à l'époque où j'étais en région pari-sienne. Ce constat les inciterait même à suivre mon exemple. »

Arold n'idéalise pas pour autant son pays d'accueil longtemps vu comme un modèle de tolérance. De fait, l'extrême droite néerlandaise s'impose désor-mais comme une force politique de poids grâce notamment à une rhétorique anti-islamique qui a trouvé un puissant écho depuis l'assassinat du réalisateur Theo Van Gogh. Mais le jeune entrepreneur reste persuadé que le modèle néerlandais d'intégration fonctionne mieux que ce qu'il a expérimenté en France : « Ici, les gens issus de l'immigration se représentent vraiment comme des Néerlandais. Les minorités ne se sentent pas limitées dans leur tête... Et ça, c'est un grand pas. Ça donne déjà le sentiment de pouvoir faire beaucoup de choses, même en sachant que tout ne sera pas facile, que tout ne sera pas possible. En France, l'égalité républicaine, on en parle plus qu'on ne la pratique. Au Pays-Bas, ils n'en parlent pas du tout mais ils la mettent en œuvre. »

Les minorités ethniques seraient-elles donc mieux traitées ailleurs qu'en France ? La comparaison est plutôt risquée. Les préjugés les plus forts visent généralement les minorités les plus importantes en nombre dans le pays. En Grande-Bretagne ou en Allemagne, un Français expatrié d'origine maghrébine peut avoir le sentiment que le racisme y est moins prégnant, les idées reçues sur sa communauté n'y étant pas aussi fortement ancrées qu'en France. Il n'est pas sûr qu'un Britannique d'origine pakistanaise ou un Allemand d'origine turque partage ce jugement positif sur son propre pays. Les témoignages parfois un peu manichéens des Français noirs ou maghrébins expatriés, qui tendent à encenser leur pays d'expatriation et à critiquer sévèrement la France, doivent toujours être replacés dans cette perspective.

De même, comme beaucoup de ces jeunes, à l'instar d'Hamid ou d'Arold, ont trouvé du travail à l'étranger avec une facilité déconcertante, ils peuvent hâtivement en conclure que la discrimination raciale à l'embauche est nettement moins forte ailleurs qu'en France. Cette assertion n'est sans doute pas complètement infondée. Mais si l'on songe à des pays comme les États-Unis, la Grande-Bretagne ou l'Irlande, il faut rappeler que, jusqu'à la crise, leur économie flirtait avec le plein-emploi tandis que le chômage restait en France à un niveau relativement élevé. Si notre pays avait connu une décennie de forte croissance, l'accès au marché du travail aurait été plus facile pour tous et le sentiment d'exclusion probablement moins fort.

Ces observations étant faites, les témoignages de ces jeunes Français, à qui l'on a donné une chance à l'étranger quand en France ils trouvaient porte close, reviennent avec trop d'insistance pour qu'on ne s'interroge pas sur les défaillances de notre système. Au niveau « institutionnel », il ne fait guère de doute que la patrie des Droits de l'homme accuse un sérieux retard. Mais, à l'échelon « individuel », la réponse est nettement plus nuancée comme tend à le prouver le grand nombre de mariages et d'unions mixtes en France. « Ce que nous avons réussi à faire au niveau de la société, les Britanniques ne l'ont pas accompli, constate Hamid Senni, désormais à la tête de Vision Enabler, l'entreprise de conseil basée à la City qu'il a lui-même créée. Ici, chacun a étudié dans sa communauté, chacun se marie dans sa communauté. Quand vous voyez un groupe mixte, ce sont généralement des collègues de bureau. Sans même parler de couples mixtes, il n'y a vraiment pas d'amitiés mixtes comme en France. Mais ce qu'ont rendu possible l'école républicaine et la carte scolaire n'a pas été transposé en France au niveau de l'entreprise. Pourtant, quel est le plus dur : réussir l'intégration dans la société ou dans l'entreprise ? Nous avons réussi le plus compliqué et échoué sur le plus facile. »

C'est en vivant en Suède que Hamid, le fils d'ouvrier marocain, a fait la plus incroyable des découvertes : à vingt-cinq ans, pour la première fois de sa vie, il n'était plus un Français « issu de » ou « originaire de ». Oubliée, l'image du beur de banlieue, il était désormais un Français à part entière avec toute la ribambelle de clichés associés au pays de la gastronomie et de la romance. En France, on lui renvoyait sans cesse le reflet d'une identité complexe et brouillée, le miroir suédois lui a projeté une image touchante de simplicité : il était français, point barre.

Comme Hamid, beaucoup de jeunes ont expérimenté cet étrange paradoxe : devoir sortir du pays pour voir leur identité française pleinement reconnue. À l'étranger, seule la nationalité, et non plus l'arbre généalogique, semble digne d'intérêt. Et c'est peut-être une leçon à retenir dans le débat voulu par le gouvernement : l'identité nationale dépend aussi et surtout du regard des autres, de leur volonté de vous identifier ou non comme Français. Au lieu d'avoir sans cesse à se justifier sur leurs origines, ces jeunes aimeraient pouvoir jouir de ce droit à l'indifférence sur leur différence qu'on leur accorde sans barguigner à l'étranger.

En France, ces jeunes ont d'ailleurs la nette impression d'être perdants sur les deux tableaux : dans la vie quotidienne, on leur renvoie sans cesse à la figure leur différence mais leur héritage culturel demeure, lui, pratiquement ignoré par les institutions. Certes, dans la République du XXIᵉ siècle on ne parle plus à l'école de « nos ancêtres les Gaulois », mais les programmes scolaires et universitaires valorisent finalement toujours assez peu le caractère multiculturel de la France. C'est du moins l'opinion d'Odile F., une enseignante-chercheur antillaise en poste dans une université américaine : « Il y a encore dix ans, les gens pouvaient passer le bac sans avoir étudié une seule œuvre antillaise alors même que la littérature antillaise est étudiée dans le monde entier. Ce n'est pas un hasard : de manière générale, la francophonie est un domaine plus reconnu en Angleterre et en Amérique qu'en France. »

C'est d'ailleurs dans une université anglaise qu'Odile a préféré faire son doctorat. En France, le sujet de sa thèse (« la littérature féminine de la Caraïbe francophone et hispanophone ») ne lui aurait probablement pas offert les mêmes opportunités d'enseignement dans le supérieur qui se sont présentées à elle en Angleterre, en Irlande et aux États-Unis. À ses yeux, l'ouverture à la diversité y est bien plus grande qu'en France. En témoigne, par exemple, le « Black History Month » qui, chaque année au mois d'octobre, célèbre au Royaume-Uni et en Amérique l'apport culturel de la communauté afro-antillaise.

En France, l'intégration paraît marcher à sens unique : c'est aux minorités de s'intégrer en gommant leurs particularités. « C'est dû à l'attitude républicaine : en France, on est tous égaux, on doit donc être tous pareils, sous-jacente à toutes les questions liées à la diversité, l'immigration et l'intégration. Au nom de l'universalité, on écrase les gens qui ne sont pas des Français de souche », analyse Odile.

La République française est « une et indivisible ». Depuis la Révolution, cet idéal unificateur n'a jamais été pris à la légère. Effrayée par les particularismes perçus comme autant de menaces, la France jacobine n'a jamais cessé de couper les têtes qui dépassaient. Cette logique du rouleau compresseur, qui a écrasé les langues et les cultures régionales durant le XIXe et le XXe siècle, continue de s'appliquer aujourd'hui aux minorités ethniques. Revendiquer sa différence, c'est presque trahir une République décidément très exclusive. « La France, on l'aime ou on la quitte... » En son temps, François Mitterrand avait popularisé l'expression « le droit à la différence ». Mais, en réalité, pour être considéré comme pleinement français, il vaut mieux se soumettre au modèle dominant et mettre sous le boisseau d'autres allégeances culturelles ou religieuses.

Certes, les principes qui sous-tendent l'idée d'intégration sont, au départ, tout à fait louables : il s'agit de bâtir une communauté nationale où tous les citoyens sont pourvus des mêmes droits quelles que soient leur couleur de peau, leurs croyances religieuses et leurs origines sociales. Mais n'y a-t-il pas confusion entre « unité » et « uniformité » de la nation ? La République ne s'effraie-t-elle pas abusivement des supposées remises en cause de ses fondements ? En définitive, la peur que suscite le « communautarisme » ne favorise-t-elle pas la discrimination vis-à-vis de communautés pointées du doigt car suspectées de ne pas jouer pleinement le jeu républicain ? Sans compter que le prix de l'intégration : le renoncement à l'affichage de sa différence, est loin d'être toujours payé en retour dans un pays où l'égalité des chances reste plus théorique que réelle.

La République a beau garantir la liberté des cultes, en tant que musulmane française Rabiaa se sent

« amputée » de son identité religieuse. La raison ?
Encore et toujours ce fameux foulard qu'elle arbore
un peu trop ostensiblement au goût de ses compatriotes. Titulaire d'une maîtrise en sciences économiques obtenue à l'université de Nanterre, cette
jeune femme d'origine marocaine sait qu'avec la
tenue qu'elle s'est choisie ses chances de trouver un
travail dans son propre pays seraient proches de zéro.

Tout juste la trentaine, Rabiaa a déjà vécu aux
États-Unis, à Dubaï et s'est installée récemment à
Londres avec son mari. Avant de traverser la Manche, elle avait envisagé la possibilité de revivre en
France mais un bref séjour à Paris, à son retour des
Émirats, a suffi à la convaincre que sa tenue (un foulard porté à la mode moyen-orientale et une longue
abbaya noire) ne lui vaudrait que des ennuis et des
remarques hostiles. Aujourd'hui, à Londres, elle a
l'impression de respirer à nouveau : « Ici, j'ai un sentiment de liberté nettement plus fort qu'en France.
Je ne sens aucun regard sur moi lorsque je me promène dans la rue. Lorsque je fais des rencontres pro-
fessionnelles, personne n'a l'air d'être choqué de me
voir porter le foulard… J'ai même été très surprise de
constater que beaucoup d'Anglais ne me tendent pas
la main : ils savent qu'une femme voilée ne salue pas
par une poignée de main. »

Avant de revêtir cette tenue musulmane qu'elle a
commencé à porter à Dubaï (une « décision personnelle » qui lui est venue durant une prière), la jeune

femme devait régulièrement justifier son refus de faire la bise au travail ou de boire de l'alcool lors des pots de départ. Elle n'imagine que trop bien le malaise que susciterait sa tenue si, par miracle, une entreprise française lui offrait un poste.

« Ce fichu fichu » dont parlait Jean-Pierre Chevènement à la fin des années 1980 est une obsession française qui ne date pas d'aujourd'hui. C'est d'ailleurs dans une école de Creil, dans l'Oise, à deux pas du village où Rabiaa a grandi, que la première « affaire du foulard » a éclaté.

La jeune femme pense qu'au lieu de s'arc-bouter sur une définition stricte et rigide de la laïcité, la France devrait adopter une approche plus souple, plus inclusive, en un mot... plus anglaise : « Ici, la question ne se pose pas. Les Anglais ont dépassé ce stade, le voile fait partie de la religion musulmane. C'est le choix de la femme musulmane, sa liberté... J'ai eu énormément de compliments d'Anglaises sur ma tunique, ça fait plaisir, ce genre de compliments je n'en ai jamais eu en France. »

Son élégant foulard et sa longue abbaya brodée ont beau laisser voir un visage épanoui et un sourire radieux, sa tenue est souvent prise pour un signe extérieur d'extrémisme et de manque d'éducation : « Systématiquement, en France, on a l'image de la femme voilée illettrée sous l'influence totale du père, des frères et du mari. J'affirme haut et fort que porter le voile c'est un choix personnel... » Aux gens qui, en France, ne manquent jamais de lui demander si le port du voile lui a été imposé, la jeune femme répond, facétieuse, que son mari pakistanais la menace de mort... À l'expression horrifiée de ses interlocuteurs, elle comprend que sa réponse ironique est souvent prise au premier degré.

À la tête d'une petite start-up spécialisée dans les nouvelles technologies, Rabiaa a appris à apprécier la proverbiale réserve des Anglais, ce quant-à-soi qui, au sud de la Manche, passe si souvent pour de l'hypocrisie : « Je ne suis pas naïve, je sais que tous les Anglais ne sont pas d'accord avec le voile, mais ils respectent mon choix. Ils s'occupent tout simplement de ce qui les regarde. Ils ne se penchent pas sur la vie des autres. Les Français ont toujours envie de comprendre ce qui se passe chez le voisin. Le voile, la religion, ce sont des sujets très personnels, l'intrusion est un manque total de respect. »

Rabiaa se dit « très en colère » contre le gouvernement français qui fait preuve, à son avis, d'un laïcisme borné vis-à-vis de la religion en général et de l'islam en particulier : « J'ai l'impression que la France mettra du temps à nous considérer comme des citoyens à part entière et non plus comme des citoyens de seconde classe, voire de troisième classe, ou même comme des non-citoyens. Cela me brise le cœur car j'aime la France et je suis fière, comme beaucoup d'autres, d'afficher mon identité de Française musulmane. »

Il serait tentant de donner le beau rôle à nos voisins britanniques en louant leur tolérance. Si ce n'est que leur modèle a aussi montré ses limites en laissant s'enkyster des ghettos culturels et religieux au sein de la société. Les attentats de Londres, le 7 juillet 2005, ont tragiquement fait voler en éclats cette illusion d'un parfait multiculturalisme britannique. Cela étant dit, il ne faudrait pas utiliser les dérives du communautarisme comme un prétexte pour justifier l'inaction en matière de représentation des minorités dans les institutions françaises.

C'est un des scandales permanents de notre République certifiée 100 % égalitaire : la très faible représentation des minorités en politique. Le Palais-Bourbon abrite sous ses lambris dorés une seule élue métropolitaine noire (la socialiste antillaise George Pau-Langevin) et aucun député d'origine maghrébine ou africaine. Les quinze autres députés de couleur sont des élus des circonscriptions des départements et territoires d'outre-mer. Quant au Sénat, peu réputé progressiste, les parlementaires de la diversité s'y comptent sur les doigts d'une seule main. Sur ce plan, le palais du Luxembourg semble même avancer à reculons : de 1959 à 1968, la Chambre haute du Parlement fut présidée par un petit-fils d'esclave, le sénateur du Lot Gaston Monnerville, d'origine guyanaise. Depuis, rien.

Le paysage municipal reste lui aussi désespérément monochrome avec seulement deux maires issus de la diversité dans les villes de plus de 30 000 habitants (Rachida Dati, UMP, dans le VIIe arrondissement de Paris, et Samia Ghali, dans le VIIIe secteur de Marseille) et 2 000 conseillers municipaux, soit 0,4 % du total ! En la matière, les états-majors politiques brillent rarement par leur courage : aux scrutins de liste, les candidats de la diversité se retrouvent souvent à des positions inéligibles, pour les votes uninominaux ils sont généralement envoyés au casse-pipe dans des circonscriptions réputées imprenables.

Installé à San Francisco, Khan Kanga s'est certes réjoui à distance de voir la France chavirer dans une euphorie « obamaniaque » au lendemain de l'élection du premier président de couleur à la Maison-Blanche. Mais, ce jeune Franco-Ivoirien, qui travaille dans l'événementiel en Californie, n'a pu s'empêcher de se poser l'inévitable question : à quand un Obama français ? « Sans être particulièrement pessimiste, je ne vois pas ça se produire dans les années à venir, ni à court, ni à moyen terme. »

En la matière, la gauche suscite logiquement plus d'attentes que la droite et donc aussi plus de désillusions. En poste dans une université américaine, Odile la Guadeloupéenne dit ne pas comprendre la frilosité des socialistes français une fois qu'ils sont au pouvoir : « Même Bush a nommé Colin Powell et Condoleeza Rice à des postes importants. » La gauche ne s'est-elle pas laissé donner une leçon de diversité par Nicolas Sarkozy, premier président de la République à confier des responsabilités ministérielles de premier plan à trois femmes issues de l'immigration ? « Que ce soit de la poudre aux yeux ou non, ce n'est pas mon problème. Que ce soit une stratégie ou non, ce n'est pas grave », considère Khan Kanga qui veut croire en la vertu du symbole.

Selon cet ancien Parisien, diplômé de l'École supérieure de gestion et de la très prestigieuse université de Californie (Berkeley), le retard français ne tient pas uniquement aux réticences de la société mais à l'incapacité des différentes minorités à présenter un front uni : « Ce qui n'existe pas en France, c'est le lobby. Aux États-Unis, la communauté noire est assez homogène et s'organise en tant que groupe de pression pour constituer une force politique... En France, elle n'a pas la même unité : on a aussi bien des gens venant de l'Afrique sub-saharienne que des Antilles. Ils n'ont pas du tout la même histoire, la même culture. Ils ne se sentent pas appartenir à la même communauté. » Cette hétérogénéité se reflète d'ailleurs dans la très grande diversité des opinions sur l'opportunité ou non de « statistiques ethniques » et d'une forme de « discrimination positive ».

Nicolas Sarkozy avait été le premier, en 2003, à flirter avec l'idée d'une *affirmative action* à la française. Depuis, il semble avoir renoncé à une réforme aussi radicale qui aurait nécessité une révision constitutionnelle, la promotion sur des critères ethniques étant contraire au principe fondamental de l'égalité républicaine. Une fois encore, c'est ce beau concept d'égalité, aussi généreux qu'inappliqué, qui a barré la route à des mesures simples et pragmatiques dont l'application aurait pu corriger les déséquilibres les plus flagrants : « La grande différence avec les États-Unis, c'est que rien n'est fait en France pour pousser à avoir un peu plus de couleur, un peu plus de minorités visibles dans tous les secteurs d'activité, constate Khan Kanga. Si les États-Unis sont aujourd'hui en avance par rapport à nous, c'est parce qu'ils ont pratiqué cette *"affirmative action"*, "cette discrimination positive". Bien sûr, l'institution de quotas, ce n'est pas l'image qu'on veut se faire d'une vraie démocratie sociale. Mais, s'il faut en passer par là, au départ, afin que cela rentre dans les mœurs, eh bien, instituons des quotas… Qu'on oblige certaines écoles, certaines entreprises à intégrer des minorités sociales et raciales. Qu'on le fasse, comme ici, à la télévision ou au cinéma, jusqu'à ce que ça rentre dans les mœurs et, après, ça ira tout seul. »

Cet effort pour refléter le visage pluri-ethnique de la nation est manifeste à la télévision américaine et britannique où l'on ne compte plus le nombre d'animateurs et de journalistes de couleur. Malgré quelques récentes avancées, les directeurs des chaînes françaises ont globalement maintenu un statu quo consistant à ne pas heurter le proverbial « téléspectateur du plateau des Mille Vaches ».

Les choses évoluent trop timidement au vu du retard accumulé par rapport à bien d'autres pays. S'il n'est pas question d'exagérer le pouvoir du petit écran, il ne faut pas non plus en minimiser l'impact. De ce point de vue, l'attitude de la BBC est exemplaire : ses programmes pour enfants sont peuplés d'animateurs et d'animatrices qui reflètent la variété ethnique du pays. Très tôt, les gamins sont habitués à un monde multiracial où la diversité n'est pas l'exception mais la règle. La télévision a, après tout, le pouvoir de véhiculer une image positive et non stéréotypée de l'immigration. Et il ne s'agit pas seulement de la couleur de peau de l'intervieweur : pourquoi ne voit-on pas plus souvent des avocats, des analystes financiers, des médecins, des écrivains, des chefs d'entreprise de toutes les origines venir parler de leur sujet d'expertise sur les plateaux télévisés, comme c'est si souvent le cas aux États-Unis ou en Grande-Bretagne ?

Certains parcours de Français à l'étranger exposent clairement les insuffisances du modèle républicain et la léthargie des pouvoirs publics face aux pratiques discriminatoires. Chaque réussite hors des frontières de ces jeunes Noirs et Maghrébins souligne l'échec d'un système qui trompette ses valeurs républicaines sans toujours se soucier de leur transposition dans le monde réel. Certes, on peut toujours se rassurer en se disant qu'il y a pire ailleurs. Mais, peut-on reprocher à ces jeunes, gavés de discours généreux sur l'intégration républicaine et l'égalité des chances, de regarder vers le haut plutôt que vers le bas ?

Ce qui distingue peut-être la France d'autres pays plus avancés sur la voie du multiculturalisme, c'est l'inertie des décideurs. Dans un pays de tradition étatique, l'exemple pourrait pourtant venir d'en haut. Mais, jusqu'ici, les hommes politiques, les chefs d'entreprise, les magnats de la presse et de la publicité n'ont guère brillé par leur courage, trop soucieux qu'ils sont de ne pas froisser le supposé Français moyen.

Or, ce dernier est-il aussi rétif à la diversité que ses élites semblent le croire ? La fierté nationale qu'a inspirée l'épopée de l'équipe de France de football « black-blanc-beur », championne du monde en 1998, la popularité de personnalités telles que Yannick Noah, Zinedine Zidane ou Rama Yade laisseraient pourtant supposer que les Français acceptent bien volontiers la formidable diversité ethnique et culturelle de leur pays. Reste à faire les efforts nécessaires pour que cette approbation dans l'absolu se traduise dans la vie de tous les jours.

Dans les discours, la France mène une politique de « tolérance zéro » vis-à-vis de l'intolérance. Dans les faits, les pratiques discriminatoires les moins subtiles perdurent sans que leurs auteurs ne soient sérieusement inquiétés. Dès lors, comment ne pas comprendre la frustration de tous ces jeunes exclus du marché du travail, du logement, des boîtes de nuit sur la seule base d'un faciès, d'un patronyme ou d'un code postal ?

Dans les banlieues, le sentiment d'exclusion et d'abandon alimente des comportements violents et déviants. Il ne s'agit pas là de tout expliquer pour tout excuser. De fait, la vieille antienne de l'exclusion peut s'avérer un prétexte bien commode pour choisir « la glandouille », selon l'expression imagée de Fadela Amara. Mais n'est-ce pas une raison supplémentaire pour donner leur chance à tous ceux qui, à l'instar d'Hamid Senni cité dans ce chapitre, ont parfaitement rempli « le cahier des charges républicain » ? En prouvant que l'ascenseur n'est pas détraqué et offre à tous de belles opportunités de s'en sortir, n'ôterait-on pas aux « glandouilleurs » une excuse toute trouvée à leurs trocs et combines ?

On peut débattre à l'infini des avantages et inconvénients de la discrimination positive. Certes, le débat n'est pas secondaire et touche à une valeur fondamentale de la République. Mais, au lieu d'insister systématiquement sur les effets pervers d'un tel principe, en oubliant souvent d'en rappeler les bénéfices, n'a-t-on pas, par avance, condamné un concept qui a fait ses preuves dans d'autres pays ? Par quoi la sacro-sainte égalité républicaine est-elle mieux garantie : par un système qui laisse se reproduire, de façon caricaturale, les inégalités raciales ou par un mécanisme qui se propose de corriger certains mauvais penchants de la société ?

Au lieu de maintenir une fiction constitutionnelle déconnectée du réel, ne vaudrait-il pas mieux partir de la réalité du terrain pour favoriser les changements nécessaires ? L'expérience de ces jeunes Français partis chercher ailleurs ce que l'égalité républicaine ne pouvait leur offrir chez eux nous apprend qu'avec une dose de pragmatisme et un peu de coercition les obstacles à la diversité peuvent être levés. À l'heure où le gouvernement voudrait voir chacun se saisir du débat sur l'identité nationale, il serait dommage d'ignorer leurs témoignages.

Des cerveaux partis
sans laisser d'adresse

Fuite des cerveaux… Sans surprise, les chercheurs français à l'étranger n'aiment guère cette expression qui renferme un soupçon de reproche : on imagine des cerveaux en cavale réfugiés dans des pays lointains après avoir siphonné le famélique budget du ministère de la Recherche. L'expression suggère un marché de dupes dont les braves contribuables seraient les victimes.

Voir systématiquement un chercheur français expatrié sous les traits d'un « cerveau qui a fui », c'est pourtant méconnaître la réalité d'une recherche qui, dans certains secteurs, se doit de dépasser les frontières. Les avancées scientifiques et technologiques ne jaillissent-elles pas de la confrontation des idées et des cultures ? Bien souvent, l'expatriation est une étape naturelle, parfois indispensable, dans la carrière d'un chercheur. Dans certaines disciplines, comme la biologie, les jeunes docteurs français sont vivement encouragés à faire leur « post-doc » à l'étranger, après l'obtention de leur thèse de doctorat. Nécessité faite vertu : cette mobilité internationale permet aussi de

« placer en attente » ces légions de docteurs ès sciences à qui la France n'a aucun poste à offrir.

Cette ouverture à l'étranger n'est pas une tradition récente. Au début des années 1960, un jeune virologue français du nom de Luc Montagnier faisait ses premières découvertes dans des laboratoires du Medical Research Council, au cours d'un séjour « très productif » de trois ans et demi à Londres puis à Glasgow. « J'étais au début de ma carrière scientifique et je sentais que j'avais vraiment besoin d'apprendre les techniques de la virologie moderne. Or, à l'époque, il y en avait très peu en France », se souvient le Prix Nobel de médecine 2008. Bref, les voyages formeraient la jeunesse scientifique...

Tout est affaire de proportion. Si la « circulation » de la matière grise enrichit la recherche, la sédentarisation de trop de chercheurs à l'étranger appauvrit la France. L'expression « fuite des cerveaux » devient, dès lors, justifiée et les autorités publiques ont raison de s'en alarmer. Le pays des Lumières a beau s'être persuadé de sa vocation universelle, la mission de son système d'éducation n'est pas de former de brillants esprits pour qu'ils vendent ensuite leurs neurones aux laboratoires étrangers les plus offrants, les aidant ainsi à multiplier les découvertes et les brevets. Tout gouvernement a l'obligation de se poser la question du « retour sur investissement » et de limiter ce « grand gâchis », pour reprendre le titre d'un livre qui fit grand bruit dans le landernau scientifique[1].

Comment retenir les meilleurs éléments et faire revenir ceux qui ont mis leurs compétences au service de laboratoires étrangers ? Le ministère de l'Enseignement supérieur et de la Recherche a annoncé en 2008 la mise sur pied d'un « programme d'excellence » distinguant les 130 jeunes enseignants-chercheurs les plus prometteurs. Pour les inciter à rester en France, il leur est offert une chaire de cinq ans dotée d'une prime annuelle de 6 000 à 15 000 euros et d'un capital de 50 000 à 100 000 euros pour financer leurs recherches. Parallèlement, l'Agence nationale de la recherche a lancé un programme « Retour post-doc » pour ramener les chercheurs de talent dans le giron français avec à la clé une enveloppe maximale de 700 000 euros sur trois ans pour constituer une petite équipe et développer un projet de recherche. Seul problème : la modestie du programme qui ne concerne que quinze heureux élus[2] ! Pour inciter les scientifiques expatriés à mettre leur cerveau au service de la patrie, il faudra certainement plus que la promesse d'une poignée de « chaires d'excellence ».

Fabrice Pierre, trente-neuf ans, fait certainement partie de ces chercheurs que le ministère de la

---

1. Olivier Postel-Vinay, *Le Grand Gâchis*, Paris, Eyrolles, 2002.
2. Interview de Valérie Pécresse, ministre de l'Enseignement supérieur et de la Recherche, parue dans *Le Figaro* du 16 octobre 2008.

Recherche voudrait voir exercer à nouveau sur des paillasses de laboratoires français. Ce spécialiste de la chimie médicinale, en poste aux États-Unis, a déjà participé à la découverte de trois médicaments, actuellement en essais cliniques, contre le cancer et la polyarthrite rhumatoïde. Il est le co-inventeur d'une de ces molécules et le co-auteur d'une vingtaine d'articles scientifiques. Un joli parcours pour l'ancien collégien de Rennes promis à une voie de garage après le redoublement de sa 3e et son aiguillage vers une filière technologique courte. C'est sa passion pour « la paillasse » et le goût des expérimentations qui lui ont finalement donné l'énergie de se hisser au niveau d'un doctorat pour devenir le chimiste de haut vol qu'il est aujourd'hui. Pour convaincre Fabrice Pierre et sa petite famille de quitter la Californie, il faudrait des arguments autrement plus percutants que ceux proposés actuellement par la France.

Employé par un laboratoire pharmaceutique de San Diego (Cylene Pharmaceuticals), il estime que son salaire équivaut au double de ce qu'il toucherait en France pour un poste équivalent, sans même inclure l'intéressement financier que lui propose son entreprise via des stock-options : « Financièrement, on peut dire que les chercheurs français ne sont pas vraiment mis en valeur. Les salaires sont très faibles et démotivants. Ce sont les conséquences naturelles d'un système égalitaire qu'il faut assumer. On ne peut pas avoir le beurre et l'argent du beurre. »

Fabrice Pierre se sent-il dans la peau d'un merce-
naire, parti avec son bagage scientifique sous le bras
pour se vendre au plus offrant ? Pas vraiment. Même
exilé sous le soleil californien, il a l'impression de
payer sa dette à ce pays qui lui a assuré une formation de qualité : « Dès que j'en ai l'occasion, je mets en
valeur la France et certaines de ses avancées technologiques, souvent inconnues aux États-Unis. J'essaie de
prendre des stagiaires français régulièrement, car, à
niveau équivalent, ils sont plus intelligents et mieux
formés que leurs collègues américains. »

Mais avant de tenter de faire revenir les chercheurs, peut-être vaudrait-il mieux veiller à ne pas
les faire fuir… Or, de l'avis général, le processus de
sélection pour l'attribution des postes à l'université,
au CNRS et dans les instituts scientifiques publics
incite plus souvent à faire ses valises qu'à les poser.
Confrontés à une administration courtelinesque et à
des jurys où trônent d'inaccessibles mandarins, nombreux sont les candidats qui se sentent traités avec
peu de considération.

Aujourd'hui professeur agrégé à la faculté de
médecine vétérinaire de l'université de Montréal, le
Dr Michael Mourez n'a pas gardé un très bon souve-
nir de son passage devant la commission nationale
du CNRS. Ce brillant polytechnicien, titulaire d'un
doctorat en microbiologie fondamentale obtenu à
Paris VII, avait effectué des recherches dans un prestigieux laboratoire de l'Institut Pasteur puis un stage

post-doctoral à l'université de Harvard. Or, il a vite constaté que son curriculum vitae long comme le bras ne suffisait pas à faire sortir l'administration française de sa léthargie bureaucratique : « J'étais "convoqué", à mes frais, à un examen devant une "commission nationale" d'une vingtaine de personnes dont une seule avait consulté mon dossier. Le dossier en question avait exigé des paperasses administratives allant du casier judiciaire aux formulaires en triple exemplaire. L'examen lui-même commençait par la présentation d'une carte d'identité française puis un exposé d'une quinzaine de minutes de tout ce que l'on avait fait et de tout ce que l'on voulait faire, suivi de cinq minutes de "questions" qui parfois tenaient plus de l'examen potache. Après, on était mis dehors et c'était fini jusqu'à la décision finale et incontestable. »

Comment dès lors ne pas succomber au chant des sirènes des universités étrangères ? « Au Canada ou aux États-Unis, on m'invitait, tous frais payés, moi et ma famille, pour deux ou trois jours. Je donnais une conférence d'une heure dans le département où je postulais. Ensuite, je rencontrais individuellement la plupart des professeurs, potentiellement mes futurs collègues, pendant trente à soixante minutes chacun. On me faisait visiter l'université, le département, les laboratoires... Il y avait un repas dans la soirée avec quelques professeurs pour échanger de façon moins formelle. Et puis il y avait des discussions pratiques avec le directeur de département : mes prétentions salariales, mes demandes de fonds de départ, mes exigences particulières… À Washington, on nous a même fait rencontrer un agent immobilier afin de nous donner une idée du coût de la vie sur place. »

On objectera que toutes ces attentions ont un coût et que la France n'a pas forcément les moyens de dérouler un tapis rouge sous les pieds de tous les candidats, surtout quand leur nombre dépasse si largement celui des postes à pourvoir. Certes, mais il n'est nul besoin de dépêcher un agent immobilier ou une gouvernante anglaise pour montrer le respect, le sérieux et la transparence avec lesquels sont traitées les candidatures de valeur. Beaucoup de chercheurs expatriés, interrogés pour les besoins de cette enquête, n'ont pas oublié la rudesse de la machine institutionnelle française à leur égard. La pénurie de postes et l'inflation de candidatures justifient-elles un traitement aussi cavalier ? N'est-ce pas la meilleure façon de jeter nos brillants cerveaux dans les bras des unités de recherche étrangères ?

Après une première tentative infructueuse, le CNRS finit par retenir la candidature de Michael Mourez en 2002. Servis par une actualité dramatique – une série d'attaques bioterroristes aux États-Unis–, les travaux du jeune chercheur français sur les toxines sécrétées par l'agent responsable de l'anthrax ont subitement fait grimper sa « valeur marchande » dans la communauté scientifique. Mais le CNRS n'est prêt à lui offrir que le minimum syndical : un titre de chargé de recherche de 2ᵉ classe « à titre provisoire » pendant dix-huit mois. Après plusieurs années, il peut espérer un poste de « 1ʳᵉ classe » puis passer de nouveaux concours pour devenir « directeur de recherche ». Comparée aux fonds que les universités américaines et canadiennes s'engagent à lui accorder pour ses recherches, la proposition du CNRS frôle l'indécence.

Michael n'est pas placé face à un dilemme cornélien... Son choix est rapidement fait : ce sera la rigueur des longs hivers du Québec plutôt que la froideur bureaucratique de la France. À trente-sept ans, il est aujourd'hui un chercheur de renommée internationale, auteur d'articles qui paraissent dans les plus grandes revues scientifiques, à la tête d'une équipe de cinq personnes dans un laboratoire indépendant au sein de la prestigieuse université de Montréal.

Si la France traite ses jeunes chercheurs sans grand ménagement, elle peut aussi se montrer intraitable avec ses vieux scientifiques. En 1996, lors d'une séance de nuit, le Parlement abolit en catimini la dérogation qui permettait jusque-là aux directeurs de recherche du CNRS et de l'Inserm de prolonger leur activité au-delà de soixante-cinq ans, l'âge limite légal pour les fonctionnaires. Place aux jeunes ! Pratiquement du jour au lendemain, au nom du renouvellement des générations, des dizaines de biologistes, physiciens et chimistes de renom sont forcés de faire valoir leur droit à la retraite. Le professeur Luc Montagnier a beau avoir co-découvert le virus agent causal du sida, il est prié de gagner l'antichambre du cimetière des éléphants scientifiques, comme tout le monde.

« Furieux » et outré par une mesure qu'il juge « démagogique » et « très mauvaise » pour la recherche française, le célèbre virologue choisit la valise de préférence au mausolée. Les États-Unis ne regardent pas la couleur de ses cheveux mais les connaissances et l'expérience qu'il peut apporter à la recherche américaine. De 1997 à 2001, le professeur Montagnier dirige le centre de biologie moléculaire et cellulaire au Queens College de l'université de New York.

À soixante-dix-huit ans, l'auguste professeur que l'administration française trouvait déjà trop vieux il y a quatorze ans est toujours en activité. Auréolé du prix Nobel de médecine qui lui a été décerné en 2008, il préside la Fondation mondiale Recherche et Prévention sida associée à l'Unesco et assure la direction scientifique de plusieurs laboratoires de recherche biotechnologique en France, aux États-Unis et en Afrique. En dépit d'une pluie de distinctions et d'une rosette de grand officier de la Légion d'honneur, accrochée au revers de sa veste depuis le 1er janvier 2009, le professeur Montagnier a le sentiment d'avoir été « mal valorisé, mal exploité » par la France malgré, ou plutôt à cause de sa forte notoriété : « J'ai été très médiatisé en raison de la découverte du virus du sida. Ça a créé des anticorps, des jalousies. En France, on n'aime pas les gens qui dépassent trop. C'est le problème de la recherche française : on ne stimule pas les grands créateurs, la grande créativité. Il y a plutôt un nivellement par le bas. Il faut y voir un reste de la Révolution française, une sorte d'égalitarisme, qui fait que ce n'est pas "que le meilleur gagne" mais plutôt : "que personne ne gagne". Je ne dis pas qu'il n'y pas d'équipes de valeur en France, mais il ne faut pas qu'elles fassent trop parler d'elles. »

Comme tout un chacun, les chercheurs sont sensibles aux propositions salariales que peuvent leur faire les universités ou les laboratoires étrangers. Pour autant, les cerveaux expatriés ne sont certainement pas à ranger dans la même catégorie que les mercenaires de la finance essaimant à travers le monde en quête de grosses rémunérations. Pour consacrer sa vie au « repliement des protéines membranaires en fonction de l'environnement lipidique », à « la prolifération des organismes phytoplanctoniques nuisibles » ou aux « écoulements turbulents en présence de bulles », mieux vaut être passionné par sa discipline. L'expatriation est ainsi souvent guidée par les moyens et les conditions de travail proposés par tel institut ou telle université. Or, des témoignages recueillis pour ce livre il ressort assez clairement que les chercheurs expatriés ont trouvé à l'étranger un environnement souvent plus favorable à leurs recherches : plus de moyens financiers, moins de lourdeurs administratives, une charge d'enseignement moins pesante…

La comparaison n'est pas systématiquement défavorable à la France. Les situations varient en fonction des pays, des disciplines et des laboratoires. Ainsi, même aux États-Unis, les financements des contrats de recherche ne tombent pas du ciel ; il faut constamment s'y battre, dossiers à l'appui, pour obtenir les fameux *grants* (subventions) qui permettront de mener à bien un projet scientifique. Mais, dans l'ensemble, les chercheurs interrogés disent avoir trouvé ailleurs un environnement global plus favorable à la recherche.

« Au Japon, quand je dis que je suis chercheur et docteur en biologie marine, les gens me font sentir qu'ils considèrent mon point de vue avec intérêt, témoigne Benjamin Genovesi, qui effectue son post-doctorat au sein de la Fisheries Research Agency (l'équivalent de l'Ifremer) à Hiroshima. À l'inverse, en France, je rencontre essentiellement de l'indifférence, et je dois faire face à des clichés sur "le chercheur qui cherche dans sa tour d'ivoire sans jamais rien trouver", et qui, bien évidemment, gaspille l'argent du contribuable. De plus, très souvent les Français ne savent même pas qu'on peut être docteur dans un autre domaine que la médecine, ce qui est très frustrant. Maintenant, pour expliquer mon métier je dis que je suis "gynécologue de la mer", ça permet de fixer les idées ! »

La France manifeste un respect sans limites pour ses ingénieurs, surtout s'ils sortent de ces fameuses Grandes Écoles qui font la fierté de la République. Cette déférence vis-à-vis de l'ingénierie est un sujet constant de frustration pour les chercheurs français qui, leur thèse universitaire en poche, se sentent souvent relégués au second rang. Un séjour prolongé hors des frontières permet de découvrir que la vénération pour les ingénieurs est loin d'être universelle : « À l'étranger, ils sont considérés comme des techniciens très qualifiés et ne possèdent pas le statut d'"élite" qu'on leur attribue en France. Sans pour autant vouloir renverser la tendance, il me paraît plus juste de tendre vers un équilibrage entre les diplômes de docteur et d'ingénieur », considère Benjamin Genovesi.

Michael Mourez déplore, lui aussi, le manque de reconnaissance dont souffre le doctorat ès sciences : « En France, ce diplôme est très peu valorisé dans le sens où un Ph.D.[1] est beaucoup moins attrayant qu'un diplôme d'ingénieur de "Grande École" pour les

---

1. *Doctor of philosophy*. C'est, dans le système universitaire anglo-saxon, l'intitulé le plus courant d'un diplôme de doctorat.

entreprises. Ailleurs, le Ph.D. est reconnu comme le plus haut diplôme universitaire et valorisé par les entreprises. Souvent même, les entreprises françaises vont activement refuser les diplômés ayant un Ph.D. : ils seront automatiquement considérés comme des universitaires n'ayant pas de contact avec le "réel". »

Malgré la pluie de critiques qu'ils font tomber sur la recherche française (délabrement des infrastructures, rigidité bureaucratique, mode de recrutement opaque...), les chercheurs expatriés sont les premiers à reconnaître la valeur des jeunes talents scientifiques français qu'ils voient défiler dans leurs labos. Foin de ce satané « classement de Shanghai » qui, en 2009, ne faisait entrer que 23 établissements supérieurs français dans son classement des 500 meilleures universités mondiales. Pour Michael Mourez, nos jeunes chercheurs n'ont pas à rougir de la comparaison internationale : « En général, les post-doctorants français sont très appréciés, de façon comparable à ceux qui viennent du Royaume-Uni, d'Allemagne ou même d'Amérique du Nord. Cela indique clairement, à mon sens, que notre formation universitaire est très bonne. »

Une formation très bonne... mais pour quels débouchés ? C'est la question qui angoisse tant de jeunes chercheurs français qui, les félicitations du jury sous le bras, vont tambouriner à toutes les portes dans l'espoir souvent déçu de se voir offrir un poste.

« Alors que trouver un post-doc en France relève parfois d'un parcours du combattant, avec des passages par la case chômage, trouver un post-doc hors de nos frontières a été facile », témoigne Heidi Vitrac, partie à Houston après l'obtention de son doctorat en chimie-physique à l'université de Paris V.

Contrairement à une idée répandue, aux États-Unis le gouvernement fédéral ne rechigne pas à la dépense quand il s'agit de recherche et d'innovation. Le financement public des projets passe traditionnellement par des instituts fédéraux comme la National Science Fundation, le National Institute of Health ou encore le National Cancer Institute. Les chercheurs doivent rendre compte régulièrement de l'avancement de leurs travaux sous peine de perdre leur *grant*.

À l'inverse de la France, le secteur privé américain investit également massivement dans la recherche et l'enseignement supérieur via des fondations. « Le principal problème est l'absence, au sein de notre culture française, de tolérance envers un financement privé ou semi-privé des institutions historiquement publiques, fait remarquer Heidi Vitrac. Il est encore difficilement concevable de voir apparaître des amphithéâtres nommés "Coca-Cola" ou "Minute Maid" ! Nous sommes trop tatillons sur l'origine des fonds. L'argent venant de Total, Philip Morris ou toute autre compagnie à la réputation peu appréciable ne me gêne pas, du moment que l'on fait la distinction entre eux et nous. »

Faut-il « américaniser » le système ? L'implication d'entreprises privées permettrait-elle de mettre fin à la misère supposée de l'université et de la recherche françaises ? C'est le dessein forcément secret, tant le sujet est explosif, que l'on prête régulièrement à la droite. La remise en cause du statut actuel des enseignants-chercheurs et la plus grande autonomie accordée aux universités participeraient de cette logique d'une libéralisation rampante du savoir.

Malgré ces craintes souvent exprimées, il n'est pas encore venu le jour où la France imposera des frais d'inscription aussi vertigineux que ceux qu'on pratique aux États-Unis. Les budgets des universités américaines dépendant en grande partie des droits acquittés par les étudiants, l'opinion de ces derniers devient du coup prépondérante comme peuvent en témoigner les enseignants-chercheurs français en poste en Amérique du Nord. La pression sur le corps professoral y est nettement plus forte qu'en France. L'évaluation du travail des universitaires, à travers les très redoutés *feed-back*, peut même faire et défaire des carrières. Une telle approche est totalement étrangère au système français. L'idée que la transmission du savoir puisse être soumise à des considérations mercantiles paraît à beaucoup inacceptable. En quoi le jugement des étudiants sur la qualité de l'enseignement serait-il mieux informé sous prétexte qu'ils ont déboursé 30 000 ou 40 000 dollars par an pour leur année universitaire ?

D'aucuns considéreront en revanche qu'il n'est pas forcément scandaleux de soumettre les enseignants-chercheurs à un minimum de contrôle sur la qualité (voire la réalité) de leur travail. C'est toute la question posée par la réforme Pécresse qui a mis le petit monde de la recherche en ébullition. Il n'était pas là question de transformer les amphithéâtres en jurys populaires mais de contrôler plus sévèrement la production universitaire. Chaque camp a des arguments valables à faire valoir : si l'exigence d'une obligation de résultats, mesurée en brevets et en publications scientifiques, méconnaît grandement la complexité de la recherche fondamentale, les enseignants-chercheurs peuvent difficilement dénier aux pouvoirs publics le droit de s'assurer qu'ils remplissent leur « cahier des charges ».

La présidente de l'association « Sauvons la recherche » (SLR), Isabelle This-Saint-Jean, est une femme occupée. En plus des interviews à la presse, des AG, des manifs et des occupations de locaux qui noircissent son agenda, ce professeur d'économie doit aussi dispenser ses cours à Paris XIII et Paris I, poursuivre ses recherches d'épistémologie en sciences sociales et assumer son rôle de mère de famille ! La fuite des cerveaux ? Elle y voit « une instrumentalisation de la question par le pouvoir sur une thématique du déclin destinée à justifier ses réformes ». En langage décrypté, l'exode des scientifiques français serait un thème mis en avant par le gouvernement pour mieux légitimer son action et démanteler la recherche publique.

Pour la présidente de SLR, l'hémorragie a une explication plus simple : l'absence de postes à pourvoir, conséquence des « budgets de déclin » alloués à la recherche française. « Pour ce qui est de la fuite des cerveaux, vous avez deux catégories : les jeunes chercheurs qui ne peuvent pas entrer dans le système. C'est un phénomène subi. Après un ou deux ans en post-doc à l'étranger, ils aimeraient bien rentrer en France mais il n'y pas de postes pour eux. Et puis, il y a des chercheurs, instrumentalisés par le pouvoir, qui disent qu'en France le système ne fonctionne pas, qu'il y a trop de rigidités, qu'il faut le changer. Mais combien de personnes cela concerne-t-il vraiment ? Notre statut de fonctionnaire est la garantie de notre indépendance et de la qualité de la recherche. Au regard des moyens mis à notre disposition, les résultats de la recherche française restent exceptionnels. »

Même si les deux parties utilisent l'argument à des fins opposées, ni les chercheurs ni le gouvernement ne remettent en cause la réalité même de la fuite des cerveaux. La matière grise française s'envolerait bien, de façon inquiétante, vers des cieux plus hospitaliers. La France se tirerait une balle dans le pied en laissant ses talents s'enfuir vers les États-Unis, le Canada, le Japon, l'Allemagne ou l'Angleterre.

À en croire deux jeunes ingénieurs de l'École des mines de Paris qui ont produit un épais mémoire[1] sur la question en 2007, le phénomène tiendrait plus de la légende que de la réalité. Loin d'être un « *brain loser* », la France serait un « *brain gainer* » : notre pays attirerait plus de diplômés de l'enseignement supérieur qu'il n'en laisserait partir. Parmi les pays de l'OCDE, seuls les États-Unis et le Canada feraient mieux. En Europe, la France serait même le pays le moins affecté par les départs !

Les flux vers l'Amérique du Nord resteraient très limités – moins de 2 % des diplômés français s'y expatrieraient. Ceux-ci, d'ailleurs, ne prolongeraient pas leur séjour à l'étranger au-delà du raisonnable : près de 80 % des chercheurs expatriés aux États-Unis rentreraient en France après avoir décroché leur diplôme ou accompli leur « post-doc ». La France pourrait donc dormir tranquille : elle continuerait de tenir son rang dans le monde de la recherche. L'inquiétude que fait naître cette prétendue fuite des cerveaux ne serait que le reflet d'angoisses face à la mondialisation et à la compétition internationale. Comme à l'accoutumée, les Français auraient cette fâcheuse manie de voir le verre à moitié vide (tous ces cerveaux perdus pour le pays) plutôt que le verre à moitié plein : ces chercheurs qui finissent

---

1. Benoît Jubin et Pascal Lignières, *La Nouvelle Guerre des cerveaux*, mémoire de fin d'études de l'École nationale supérieure des mines de Paris, juillet 2007.

par revenir forts d'une nouvelle expérience et d'une multitude de contacts, sans même parler de l'apport de ces nombreux scientifiques étrangers installés dans l'Hexagone. Loin d'être victime d'un pillage en règle de sa matière grise, la recherche française profiterait assez significativement de la circulation des idées et des personnes. En un mot comme en cent, la fuite des cerveaux ne serait qu'un mythe.

Que penser ? Qui croire ? Les témoignages recueillis pour ce livre n'étayent pas, en tout cas, la thèse suivant laquelle l'exode de scientifiques français ne serait qu'une idée sans fondement. Certes le phénomène n'a absolument rien de comparable avec le débauchage que subissent des pays comme la Chine, l'Inde ou certains États africains. Néanmoins, le tableau est loin d'être rose. Si certains post-doctorants français voient leur expérience à l'étranger comme un moyen d'étoffer leur CV et d'augmenter leurs chances de trouver un poste en France, d'autres chercheurs interrogés dans ce livre n'ont pas eu d'autre choix que partir et n'ont pour l'heure pas la moindre perspective de retour. À la lumière de leur expérience à l'étranger, ceux-là observent avec de plus en plus de perplexité l'état de la recherche et de l'université françaises. Le manque de moyens, la pénurie de postes, les petits salaires, les perspectives d'évolution de carrière peu enthousiasmantes… Vue des États-Unis, du Canada, de Suisse, d'Angleterre, d'Allemagne, du Japon, l'herbe leur apparaît rarement plus verte en France.

Il ne s'agit pas pour tous ces chercheurs de cracher dans la soupe d'un système qui leur a donné une formation qu'ils jugent souvent excellente, ni de rejeter en bloc un modèle de la recherche à la française établi sur trois piliers : les Grandes Écoles, les organismes publics comme le CNRS, les ambitieux programmes de recherche. Aucun d'entre eux ne suggère de faire table rase d'une structure qui a fait ses preuves.

Néanmoins, il ne fait guère de doute que la recherche française a besoin d'évoluer et de se réinventer. De ce point de vue, la contribution des expatriés peut élargir un débat franco-français dans lequel seules semblent compter l'épaisseur de l'enveloppe budgétaire et la personnalité d'un président de la République s'ingéniant à prendre à rebrousse-poil la communauté des chercheurs.

Tout ce qui se fait ailleurs n'est pas forcément supérieur. Cependant, le système génère aujourd'hui trop de frustrations et de désillusions pour qu'on s'interdise d'examiner avec intérêt les autres modèles de recherche publique dans le monde.

Au bout du compte, les déçus de la recherche française, on ne les retrouve pas forcément hors de l'Hexagone : « Je ne crois pas trop à l'hémorragie vers l'extérieur, estime le Dr Michael Mourez de l'université de Montréal. Beaucoup plus de cerveaux quittent la science sans quitter la France, c'est ça la plus grosse fuite. »

L'habit fait le moine

La France n'est certainement pas la seule nation à souffrir de « diplômite ». Mais, il est difficile de trouver d'autres pays où le mal soit aussi aigu. Vous êtes sorti bien classé d'une Grande École ? Un brillant avenir vous attend. Toute votre vie, vous serez celui qui a fait l'ENA, HEC, les Mines ou Polytechnique, et ce quelles que soient vos performances dans l'entreprise ou l'administration que vous honorez de votre présence. L'auréole du diplôme vous donne un statut que l'épreuve des faits ne saurait remettre en cause... Vous n'avez pas particulièrement brillé dans les études ? Il faudra alors une détermination hors du commun ou un coup du destin pour vous échapper de la voie de garage qui vous est promise.

Pour fuir ce chemin sans relief auquel vous prédestine un modeste parcours scolaire, une autre solution est de s'exiler vers un pays où ne s'exerce pas la dictature du diplôme. Plus d'un l'a fait. Plus d'un revient, avec sur les lèvres ce leitmotiv mille fois entendu dans la bouche des expatriés : « Jamais je n'aurais réussi à faire la même chose en France ! »

Sur ce point, Fabrice Girerd n'a pas l'ombre d'un doute. S'il était resté dans le département militaire et scientifique d'Alcatel, dans le sud-est de la France, il serait encore aujourd'hui cet infatigable hamster qui court dans sa roue, sans jamais progresser : « Je me retrouvais à faire le travail d'un ingénieur avec une paie de technicien mais je comprenais bien qu'avec un BTS de conception industrielle mon seul espoir serait de devenir technicien de niveau 5 au bout de dix ans. Et d'ailleurs, cet avancement ne serait nullement dû à ma performance mais à l'ancienneté. On se dit alors : pourquoi faire autant d'efforts si, de toute façon, on est limité dans son avancement et enfermé dans une case ? »

Pour en finir avec ce surplace, Fabrice Girerd a bien tenté une formation continue qui lui aurait permis de devenir un « ingénieur métier » avec des fonctions à la hauteur de ses compétences et un salaire correspondant. Mais, après une année de classe préparatoire à l'école supérieure de physique de Marseille durant laquelle il jongle entre le travail et les cours du soir, Alcatel coupe brutalement tous les crédits de formation suite aux attentats du 11-Septembre et en raison de la crise de l'aéronautique qui s'ensuit. Dès lors, pour se libérer du carcan qui l'empêche de progresser à son rythme, Fabrice n'entrevoit plus qu'une porte de sortie : l'étranger.

Il profite d'un plan de licenciement économique qui lui permet d'empocher un an de salaire et décide de tenter l'aventure au Québec. En mai 2004, il débarque sur les rives du Saint-Laurent avec en tout et pour tout un sac de vêtements, son vélo, et 10 000 dollars canadiens en poche. Avant son grand bond en avant, il s'était jeté à corps perdu dans l'apprentissage de la version 5 de CATIA, un logiciel de conception assistée par ordinateur très utilisé dans l'aéronautique. Chez son nouvel employeur, à Montréal, il a l'agréable surprise de constater que son BTS n'est plus un frein à sa progression professionnelle. Son diplôme, obtenu six ans plus tôt en France, n'intéresse personne. Seule compte désormais l'épreuve des faits : ses compétences, son esprit d'initiative et, en définitive, la plus-value qu'il apportera à l'entreprise.

Pour Fabrice Girerd, le temps de la stagnation est bel et bien révolu : après avoir travaillé sur un projet pour Bombardier, le géant canadien de l'aéronautique l'emploie comme consultant… Entre-temps, l'ancien d'Alcatel, qui en France n'avait pas vu l'ombre d'une augmentation en quatre ans, est passé de 45 000 à 175 000 dollars canadiens de revenus annuels[1], presque un quadruplement de salaire en l'espace de trois ans ! Aujourd'hui, le technicien qui se languissait sur la Côte d'Azur, plafonnant à 1 100 euros par mois, occupe un poste de directeur technique chez BPR Virtuel, l'une des plus grandes sociétés de génie-

---

1. Soit près de 10 000 euros de salaire mensuel.

conseil du Canada. Il a sous sa responsabilité une équipe de quinze professionnels de l'ingénierie. « Le talent français est reconnu à l'étranger. Pourquoi n'est-il pas reconnu chez nous ? » interroge-t-il sans cacher sa profonde frustration.

Dans les années 1990, Daniel Goeudevert était l'icône du « Français-qui-a-réussi-en-Allemagne ». Entré au directoire de Volkswagen en 1989, il était devenu le numéro deux du groupe et fut même, un temps, pressenti pour prendre les rênes de l'entreprise. Le succès d'un Français dans l'industrie allemande était suffisamment rare pour que les médias hexagonaux s'y intéressent de très près. Régulièrement invité sur les plateaux de télévision, Daniel Goeudevert fut notamment l'invité de « L'heure de vérité », l'émission politique phare des années 1980 et 1990. Le parcours atypique de ce petit prof de lettres, devenu vendeur de voitures avant de gravir les échelons à grandes enjambées chez Volkswagen, faisait partie de ces belles histoires qui fascinent tant les Français. Hier comme aujourd'hui, la France célèbre fièrement ses autodidactes, précisément parce qu'ils sont si peu nombreux. Cette admiration française pour le *self-made man* pourrait donner l'impression trompeuse que tout est fait pour faciliter les ascensions à la force du poignet.

Quand Daniel Goeudevert, le passionné de voitures, regarde son parcours professionnel dans le rétroviseur, il se dit qu'il n'aurait jamais pu réaliser la même carrière dans son propre pays : « En France, tous les postes de premier rang sont occupés par les gens qui ont fait les Grandes Écoles, c'est vraiment très exceptionnel que quelqu'un qui a suivi une filière totalement différente se retrouve à la tête d'une très grosse entreprise. En France, j'avais suivi un parcours qui était quand même intéressant puisque j'étais arrivé chez Renault dans l'encadrement de l'export… Mais, plus haut, ce n'était pas pensable. »

Le phénomène est bien connu : un plafond de verre empêche la progression dans les entreprises françaises de tous ceux qui n'ont pas eu le bon goût de sortir de Mines, X, HEC ou de l'ENA. En Allemagne, un pays qui s'y connaît pourtant en réussite industrielle, ce culte des Grandes Écoles n'existe pas : « En Allemagne, c'est la reconnaissance d'une expérience plutôt que celle des diplômes qui prévaut, observe Daniel Goeudevert. Quand on me parle de quelqu'un qui a commencé dans l'entreprise et qui la connaît dans tous ses recoins, qui par ses qualités de management et par son intelligence a réussi à grimper les échelons, j'aurais tendance à penser qu'il est le plus compétent. »

L'ancien vice-président de Volkswagen n'a cependant rien de l'autodidacte revanchard qui aime rabaisser les énarques ou les polytechniciens pour mieux se mettre en valeur. Il reconnaît volontiers la qualité de l'enseignement prodigué par les Grandes

Écoles françaises ainsi que leurs efforts pour plonger les élites dans le bain de l'entreprise. De même admet-il avoir vu en Allemagne des patrons et des cadres, formés sur le tas, qui n'étaient tout simplement pas à la hauteur. Ce que Daniel Goeudevert trouve, en revanche, extrêmement contestable, c'est cette habitude très française du recrutement par cooptation : « En France, les HEC recrutent des HEC, les Mines recrutent des Mines, les polytechniciens font venir des polytechniciens et ainsi de suite. Quand j'étais chez Renault Allemagne, j'avais des collaborateurs venant de toutes ces écoles. Dans leur attitude, il y avait toujours un soupçon d'arrogance, sous-entendu : "n'oubliez jamais d'où je viens". »

Alain Jézéquel, lui, n'est pas sorti de Saint-Cyr. Et c'est avec une pointe de coquetterie qu'il évoque son irréprochable itinéraire de cancre : « L'éducation traditionnelle, c'est très bien. Mais on ne vous offre qu'une seule route pour réussir. Si vous déviez, vous êtes pris pour un fou ou pour un con. Moi, j'étais pris pour un con. » Dyslexique et peu doué pour les études, ce fils d'agriculteur de Lanhouarneau, une commune de 900 habitants dans le nord du Finistère, était de ces élèves qu'on voit au fond de la classe accrochés à un radiateur comme la bernique à son rocher. Il est sorti prématurément du système scolaire sans le moindre diplôme en poche (« même pas le certificat d'études », plastronne-t-il), avec, en prime, une maîtrise approximative du français : à la maison, où le père tempêtait contre l'État jacobin, responsable de la « supercolonisation » de la Bretagne, on ne parlait guère la langue de l'occupant. Aussi rectiligne qu'une rangée de choux, l'avenir d'Alain Jézéquel semblait tout tracé : gaillard solide et travailleur, il aiderait le père à la ferme avant de reprendre le flambeau.

Le jeune agriculteur n'a pas de diplôme mais il a des idées. Ses projets se heurtent d'ailleurs régulièrement aux réticences du père, effrayé par les velléités modernisatrices du fiston. Plus d'une fois les vaches laitières sont les témoins d'engueulades homériques. Mais ce n'est pas ce classique conflit des générations qui pousse Alain à quitter sa Bretagne natale. Le déclic vient de l'accueil que l'on réserve à sa candidature à un poste d'administrateur à la caisse locale du Crédit agricole : « C'était une situation qui se transmettait de père en fils. Mon père avait été administrateur, mon grand-père l'avait été. Mais quand j'ai posé ma candidature, tout le monde a commencé à rigoler en me rappelant mon niveau scolaire. Je me suis dit que je n'avais aucun avenir avec des cons pareils. »

Passionné par la ferme, le jeune homme a beau fourmiller d'idées, on ne veut voir que son bonnet d'âne. Plus d'un serait docilement entré dans cette boîte hermétique où l'on enferme tous ceux qui n'ont pas brillé dans les études. Mais Alain Jézéquel n'a pas le tempérament à accepter cette peine de médiocrité à perpétuité à laquelle on le condamne. Il ne doute pas un seul instant de ses capacités et de son potentiel : « J'ai toujours eu confiance en moi. C'est mon père qui m'a donné cette confiance... parfois au bâton et au fouet. » Ce qu'on ne lui permet pas de réaliser à Lanhouarneau, Alain Jézéquel va aller l'accomplir à New York.

Hormis un rêve américain encore bien virtuel, le jeune paysan breton n'a absolument rien dans ses bagages : « Je ne parlais pas un mot d'anglais, je n'avais pas d'argent. J'avais simplement un visa touristique. J'ai commencé à ramasser les canettes de bière payées 5 cents pièce. Pendant un bon moment, j'ai dormi à la belle étoile. J'avais à peine de l'argent pour bouffer. Je cuisais des pommes de terre, des pâtes et du riz dans des boîtes de conserve. » Tels ces *born again* américains qui noircissent le tableau de leur déchéance passée pour mettre en relief leur miraculeuse rédemption, Alain Jézéquel exagère-t-il la dureté de ses débuts new-yorkais pour magnifier la réussite qui suivit ? Il est clair, en tout cas, que ce personnage balzacien, peu habité par le doute, a démarré au bas de l'échelle pour arriver à un niveau que personne en France – à part lui – n'aurait imaginé.

De petits boulots en petits boulots, Alain s'improvise décorateur d'intérieur dans les quartiers chics de Manhattan. Un peu sommairement associé au chic parisien, le fort accent de l'ancien paysan rassure une clientèle new-yorkaise trop heureuse d'avoir déniché un *French designer* à si bon prix. Aujourd'hui, deux décennies après avoir ramassé des canettes à 5 cents, Alain Jézéquel dirige sa propre société new-yorkaise AJ Greenwich Contracting, spécialisée dans la réfection des appartements de luxe. Quelques-unes de ses « œuvres » réalisées pour des célébrités ont eu les honneurs du magazine *Elle décoration*. Certes, le paysan breton qui savait tout juste lire et écrire n'est pas devenu Rockefeller, mais quand, les poches remplies de dollars américains, il rentre au village, où il a fait retaper la ferme familiale pour lui donner des allures de manoir, plus personne n'ose se moquer de lui.

À la fin des années 1990, Vladimir Cordier a fait comme tant de jeunes gens de son âge : promis au chômage, il a traversé la Manche avec un billet d'Eurostar… un aller simple. C'est l'un de ses enseignants, à la faculté des sciences économiques et sociales de Rouen, qui l'avait involontairement encouragé à franchir le Rubicon. L'année de maîtrise tirait à sa fin et l'auguste professeur avait expliqué à ses étudiants que, leur diplôme de faculté de province ne valant pas tripette sur le marché du travail, il était préférable d'enchaîner sur un troisième cycle en attendant des jours meilleurs.

Refusant de céder à l'attentisme, le jeune étudiant normand décide de prendre son destin en main et de tourner le dos à un système qui enfourne des générations entières dans des amphis bondés sans pouvoir leur proposer, à la sortie, des postes à la hauteur de leurs compétences.

Au début des années 2000, la Grande-Bretagne offre des opportunités infinies à tous ceux qui veulent bien les saisir. Vladimir démarre dans la vie active anglaise avec la mentalité d'un pionnier, en acceptant des tâches qui ne sont pas forcément en adéquation avec son niveau d'études : « À l'étranger, c'est plus facile de commencer par un petit boulot, de mettre sa fierté de côté tandis qu'en France on sera toujours jugé par ses pairs, ses parents, sa famille, ses amis : ça ne fait pas bien de travailler au McDo avec bac + 5. Ici, on est caché du regard des autres et puis il y a l'excuse d'apprendre l'anglais. »

Bien des expatriés partis à l'aventure ont expérimenté cet affranchissement des règles et des repères habituels. Les tâches peu reluisantes qu'ils n'auraient jamais acceptées en France, ils sont soudainement prêts à les remplir en attendant des jours meilleurs. De la même façon, les fonctions auxquelles ils n'auraient pas osé prétendre ne leur paraissaient plus inaccessibles. L'horizon n'est plus bouché par la pression sociale ni la peur du regard des autres en cas d'échec.

C'est ce parcours que Vladimir Cordier a raconté dans un essai publié par la petite maison d'édition qu'il a lui-même créée. Ce livre est le témoignage d'un jeune étudiant au chômage promis à la galère et aux ambitions inassouvies mais qui, à force de volonté et d'audace, finit par réaliser outre-Manche une ascension professionnelle inenvisageable en France[1].

Certes, avant d'en arriver là, Vladimir aura connu, comme tant d'autres, les longues journées de travail et les petits salaires qui suffisent tout juste à payer des loyers colossaux. La vie à Londres est loin d'être un chemin semé de roses et beaucoup de jeunes Français, parfois mal préparés, retraversent rapidement la Manche pour retrouver les bras réconfortants de la France. Mais, au final, Vladimir Cordier a le sentiment d'avoir pris son destin en main au lieu de se laisser enfermer dans une grille française trop rigide : « En France, on met les gens dans des cases. Vous avez tel profil, vous devez faire telle carrière. Ici, à Londres, j'ai changé trois ou quatre fois de métier, huit ou neuf fois d'employeur en une dizaine d'années. »

De fait, on imagine aisément la moue dubitative d'un DRH français à la lecture du CV de Vladimir Cordier : des débuts comme surveillant dans un lycée, un passage par le télémarketing, un travail dans l'import-export, un poste à responsabilité dans le secteur des télécoms puis un job de consultant

---

1. Vladimir Cordier, *Enfin un boulot ! ou le Parcours d'un jeune chômeur français à Londres*, Londres, Evault First Publishing, 2007.

dans le secteur des nouvelles technologies pour le compte de grosses entreprises. « En France, les gens qui changent souvent de boulot font peur. Ici, faire sa carrière à vie dans la même société, on a mis ça à la poubelle depuis des années. »

De fait, en Grande-Bretagne, un CV qui fourmille d'expériences diverses et variées est regardé avec intérêt. N'est-ce pas le témoignage d'une capacité à s'adapter et à rebondir ? À l'inverse, un employeur français aurait tendance à voir le nomadisme professionnel comme la marque d'une instabilité et d'une incapacité à se fondre dans le moule de l'entreprise.

Au passage, Vladimir Cordier pointe un paradoxe intéressant : « Bizarrement, en France, on est formé pour être pluridisciplinaire et flexible, on est habitué à adapter sa réflexion à un problème donné mais ensuite on vous dit : Vous avez fait de la comptabilité, vous serez comptable toute votre vie. En Angleterre, c'est le contraire, les gens étudient un nombre limité de matières puis on leur donne la chance de travailler dans beaucoup de domaines. »

Sans la précieuse étiquette « Grande École » accrochée au revers de sa veste, Vladimir Cordier voit mal comment une entreprise française lui aurait permis d'accéder aux hautes responsabilités (et au salaire correspondant) qui sont désormais les siennes en Grande-Bretagne : « Ce qui me manque en France, c'est cette méritocratie à l'anglaise, si je travaillais pour une boîte franco-française, compte tenu de mon petit diplôme, les gens se diraient : "Comment se fait-il qu'il prenne ces décisions ? Il n'a rien à faire là". »

Treize ans après avoir débarqué à Londres sans le sou, Vladimir Cordier est aujourd'hui en position de recruter des collaborateurs pour les différents projets qu'il dirige dans le secteur des nouvelles technologies. Il dit avoir adopté « une approche à l'anglaise » : « Je regarde le diplôme en dernier, d'abord j'examine l'expérience de la personne, sur quel projet elle a travaillé, avec quels clients, l'importance des budgets… Parfois, je ne m'intéresse même pas au diplôme. »

Au Royaume-Uni tout comme aux États-Unis, on est loin d'ignorer la qualité du diplôme et le prestige de l'université d'origine. La prédominance de la « Ivy League » (qui inclut Harvard, Yale, Princeton…) et d'« Oxbridge » (Oxford et Cambridge) prouve que les Américains et les Britanniques sont, eux aussi, sensibles au pedigree universitaire.

Mais de nombreux Français à l'étranger vous diront, d'expérience, que le système de recrutement et de promotion dans le milieu professionnel y est plus souple et moins préétabli qu'en France où l'absence de telle ou telle qualification vous ferme des portes qu'on ne vous laissera jamais entrebâiller. Au Royaume-Uni comme aux États-Unis, être passé par une université prestigieuse vous procure certes un avantage certain sur les autres candidats, mais ces derniers se verront aussi donner une chance s'ils réussissent à convaincre qu'ils peuvent apporter une réelle plus-value à l'entreprise.

Les employeurs des pays de tradition « anglo-saxonne » semblent plus enclins à prendre en compte des critères moins formels et moins statiques. C'est en tout cas la conviction de Fabrice Girerd qui a dû s'expatrier au Québec pour voir son talent reconnu : « En France, lorsqu'on a un BTS on ne peut pas avoir un poste à responsabilité. On a cette étiquette qui vous colle à la peau. En France, l'habit fait le moine. En revanche, ici au Canada, on va vous dire : D'accord, tu as cet habit, mais en quoi peux-tu te changer ? Qu'est-ce que tu peux nous apporter ? »

Quand il était à la tête de Renault Allemagne, Daniel Goeudevert en a vu défiler de ces cadres surdiplômés à la science infuse : « C'était difficile de leur dire : "Apprenez d'abord ce qui se passe ici. La culture allemande n'est pas celle de la France." J'ai assisté à des expériences dramatiques en Allemagne où l'on a envoyé des polytechniciens qui se sont ramassés en un ou deux ans. »

L'ancien numéro deux de Volkswagen refuse cependant de crier haro sur les Grandes Écoles. Il verrait d'un bon œil un « mélange » des systèmes français et allemand alliant excellence et approche pragmatique. Patron iconoclaste, Daniel Goeudevert avait d'ailleurs un temps envisagé de monter une école de management franco-allemande à Dortmund, sur une ancienne base militaire. Car, selon lui, « les têtes bien pleines » peuvent aussi apporter une plus-value que d'autres ne seraient pas forcément en mesure de fournir.

Il ne s'agit pas d'appeler à un autodafé des diplômes et de prétendre que seules les compétences acquises sur le tas auraient de la valeur. De l'avis général, le système éducatif français dispense des formations de qualité. Il est donc compréhensible que nos chères élites, qui endurent des concours d'entrée et des examens finaux notoirement difficiles, aspirent à des postes à responsabilité accompagnés de salaires conséquents. En revanche, on peut s'interroger sur la confiance aveugle accordée en France à des diplômes qui ne sanctionnent, pour l'essentiel, qu'une forte capacité à apprendre.

Quelle est la garantie que ces connaissances théoriques seront transférées avec succès dans le monde du travail ? Croire que le plus diplômé est, en toute circonstance, le plus qualifié pour un poste, n'est-ce pas faire preuve d'une croyance quasi religieuse dans les concours ? *Quid* de la motivation ? De la créativité ? Du dynamisme ? De l'audace ? De l'esprit d'initiative ? Du sang-froid ? De l'aptitude à travailler en équipe ? Du sens du contact ? De la capacité à penser autrement ? Pourquoi la « voie royale » devrait-elle systématiquement couper la route à tous ceux qui

ont acquis par eux-mêmes un savoir-faire moins sté-
réotypé mais qui peut tout autant profiter à l'entreprise ? À ce propos, Fabrice Girerd a adopté une
politique de recrutement qui a valeur de maxime :
« Mieux vaut quelqu'un qui a envie d'apprendre que
quelqu'un qui prétend tout connaître. »

D'où vient donc cette « diplômite » française, si
souvent dénoncée mais si peu combattue ? Le premier élément de réponse tient probablement au
Code du travail. Licencier un salarié en France étant
généralement plus difficile et plus cher qu'ailleurs,
les employeurs se montrent plus « conservateurs »
dans leur politique de recrutement. Pour éviter les
mauvaises surprises, ils préféreront souvent jouer la
carte de la sécurité en offrant des postes à des candidats issus d'établissements connus et reconnus. En
un mot, le diplôme les rassure.

On peut aussi y voir la marque d'une approche
française intrinsèquement conservatrice. L'accent
est mis sur le passé (la réputation, le parcours scolaire et universitaire) plutôt que sur le présent et
l'avenir : le potentiel immédiat et futur d'une nouvelle recrue. Pour Fabrice Girerd, cette attitude
conformiste tient à la confiance excessive que l'on
accorde aux « institutions ». À l'opposé d'une attitude pragmatique « à l'anglo-saxonne », qui juge
l'individu « sur pièce », l'approche française est plus
globalisante : le candidat à un poste est vu comme le

représentant, presque le prolongement, d'un corps ou d'une institution. Résultat : les cadres dirigeants et les grands patrons d'entreprise sortent souvent du même moule... un formatage par définition moins propice à la diversité des opinions et aux idées nouvelles.

Cette conviction très française que la valeur de l'institution fait la qualité de l'individu est d'autant plus enracinée dans l'inconscient collectif que le diplôme est considéré comme un symbole très fort de l'égalité républicaine. Des frais universitaires insignifiants (comparés à ceux d'autres pays industrialisés) et un système de bourses assez généreux pour les étudiants les plus modestes n'assurent-ils pas un accès équitable aux études ?

Si l'aspect financier n'est bien sûr pas secondaire (dans d'autres pays, les frais d'inscription sont ni plus ni moins qu'une sélection par l'argent), tout ne se résume pas à la seule question du capital économique. Pierre Bourdieu et Jean-Claude Passeron l'ont brillamment démontré dans *Les Héritiers*[1], un classique de la sociologie dont les conclusions restent malheureusement d'actualité. Contrairement à ce qu'on aimerait croire, le système universitaire français est bien loin d'être « socialement neutre ». Au contraire, l'institution serait un instrument, incons-

---

1. Pierre Bourdieu et Jean-Claude Passeron, *Les Héritiers. Les étudiants et la culture*, Paris, Éditions de Minuit, 1964.

cient mais néanmoins efficace, de la reproduction sociale, valorisant implicitement les connaissances extrascolaires des étudiants de la « classe dominante ». Les « stratégies de classe » feraient le reste en assurant que les fils et filles de bonne famille obtiennent les meilleurs diplômes des écoles et des universités les plus prestigieuses. Quand 95 % des diplômés des Grandes Écoles les plus cotées continuent de venir des milieux les plus favorisés, peut-on encore parler de « méritocratie républicaine » ?

Cette perception abusive du diplôme comme un instrument de justice sociale donne une légitimité morale à un recrutement essentiellement fondé sur la réussite scolaire et universitaire. Les directions de ressources humaines s'en remettent presque aveuglément à la présélection opérée par un système prétendument équitable. La culture anglo-saxonne, peu connue pour son égalitarisme forcené, offre paradoxalement plus de chances d'échapper à un fort déterminisme social en faisant preuve de plus de souplesse et en considérant avec plus d'intérêt les qualités « individuelles » d'un candidat.

De l'avis de nombreux expatriés, les évolutions de carrière en France s'avèrent généralement plus lentes car essentiellement axées sur ces critères rigides que sont le diplôme et l'ancienneté. Les barèmes fixes ont l'avantage d'établir des règles du jeu connues de tous : les jeunes ont des postes et des salaires de jeunes, les vieux des postes et des salaires de vieux, les non-qualifiés des postes et des salaires de non-qualifiés, les hautement qualifiés des postes et des salaires de hautement qualifiés. Ainsi, le système paraît objectif et juste. Il limite les risques d'arbitraire tout en flattant les penchants égalitaristes d'une nation française qui ne trahit qu'un goût modéré pour les têtes qui dépassent.

La contrepartie négative de cette logique est évidente : un tel schéma réduit les possibilités de progression individuelle et instaure une sorte de nivellement plutôt démotivant. Largement prédéterminé, le système français laisse peu de place à l'improvisation et au mérite : il n'aime guère les trajectoires qui bousculent le bel ordonnancement des choses. Les expatriés qui ont tenté seuls l'aventure à l'étranger sont, par excellence, des éléments perturbateurs : leur parcours ne correspond pas aux critères préétablis et menace, par là même, le bien-fondé de la grille. Pour se réinstaller dans la patrie non reconnaissante, mieux vaut donc compter sur un coup de pouce de l'étranger, comme par exemple être envoyé en France par l'entreprise de son pays d'adoption. Une « expatriation à l'envers », en quelque sorte...

Ceux qui ont flirté avec l'idée d'un retour se sont souvent aperçus que leurs états de service à l'étranger dérangeaient plus qu'ils n'impressionnaient : « J'ai failli retourner en France pour rejoindre mon amie, se souvient Vladimir Cordier. J'ai eu beaucoup de mal à obtenir des entretiens. Quand les gens voyaient les responsabilités que j'exerçais en Angleterre et le salaire que j'avais, à mon âge, on me regardait comme un Martien. Je ne rentrais pas dans leurs cases. On ne m'aurait pas donné le salaire que je voulais parce que je n'avais pas le diplôme correspondant et puis, j'étais trop jeune pour faire ce que je faisais. »

De la même façon, la réussite canadienne de Fabrice Girerd continue de laisser de marbre l'immuable grille française… « Par curiosité, chaque année je publie mon CV sur CAO emploi, un site reconnu dans le métier au niveau de la conception assistée par ordinateur. Au mieux, on me propose 2 400 euros par mois. » La réponse est imparable : tout directeur qu'il est, Fabrice n'a qu'un… BTS.

Des stars
sous d'autres cieux

« Pour vivre heureux, vivons ailleurs ! » Telle pourrait être la maxime des célébrités françaises lassées de traîner leur notoriété comme un boulet. La terre est vaste et, à quelques exceptions près, nos gloires nationales n'ont pas atteint une renommée telle que toute tentative de se fondre dans la masse serait vaine. La plupart des stars hexagonales qui ont choisi une existence sous d'autres cieux peuvent donc, sans trop de problèmes, se plonger dans les eaux revigorantes d'une vie libérée des projecteurs.

De ce point de vue, une mégapole n'est-elle pas l'endroit rêvé pour se perdre dans la foule ? Depuis deux ans, Yannick Noah « se ressource » à New York. La Grosse Pomme n'a plus guère de secrets pour l'ancienne star du tennis français qui, à intervalles réguliers, en a fait sa ville d'adoption depuis 1984, l'année qui suivit son triomphe à Roland Garros. C'est essentiellement pour des raisons familiales, et notamment pour se rapprocher de son fils Joakim, pivot dans l'équipe de basket-ball des Chicago Bulls, que Yannick Noah s'y est établi. La parenthèse new-yorkaise devrait d'ailleurs bientôt se refermer : l'artiste français va prochainement abandonner la magnifique vue de Central Park que lui offre son appartement pour se réinstaller dans l'Hexagone.

Il sait qu'une fois rentré il perdra un bien précieux : l'anonymat. « Pour moi, New York c'est être assis à boire un milk-shake, à regarder les gens passer. On est spectateur de cette vie, de cette ville. New York, c'est la liberté. Ça va me manquer de ne plus me balader dans la rue et d'avoir une vie normale. Ce n'est pas forcément sain d'être tous les jours caressé dans le sens du poil. Pour être au niveau, j'ai besoin de recharger mes propres batteries. L'objectif était de retrouver une vie simple avec les gens que j'aime, sans être forcément, à chaque fois, acteur dans la vie de tous les jours, parce que je suis Yannick Noah. J'avais besoin de me retrouver avec moi-même pour partager ça et c'était plus facile ici. Mais maintenant, je suis prêt à rentrer… »

Tous les expatriés riches et célèbres ne changent pas d'air simplement pour échapper à l'encombrante sollicitude du public. D'autres fuient aussi l'encombrante sollicitude du Trésor public. Beaucoup de nos icônes nationales ont le cœur en France et le coffre-fort en Suisse. Sportifs de haut niveau, stars du grand écran, écrivains à succès, vieux crooners et idoles des jeunes…, les « people » aiment la pureté de l'air helvétique, les verts pâturages et les agents du fisc accommodants de la Fédération. Jusqu'à il y a peu, cette transhumance vers les alpages se faisait dans un silence plutôt gêné. C'était compter sans notre Johnny national qui, en 2006, décida de donner un relief très médiatique à son exil fiscal vers les pentes enneigées de Gstaad. Cette expatriation pour incompatibilité d'humeur avec les agents des impôts fit grand bruit à l'époque.

Un temps expatrié à Londres, Renaud mena la charge contre « les artistes milliardaires qui osent se plaindre de la fiscalité ». Alors physiquement en Angleterre mais fiscalement en France, l'ancien chanteur des banlieues rouges se déclarait « heureux de payer l'impôt sur la fortune ». Et l'interprète de *L'Hexagone*, que l'on avait connu moins tendre avec « l'amère patrie », de se dire « fraternel et solidaire de ce pays qui m'a vu naître, que j'aime et que je ne méprise pas sous prétexte que je vais vivre huit mois par an à Londres[1] ».

Dans cet échantillon si peu représentatif de la population française expatriée, il y a ceux qui ne fuient pas le bolchevisme fiscal de la France mais l'émergence d'un fascisme rampant. Installée à Berlin depuis deux ans et demi, l'écrivain Marie N'Diaye a publiquement déclaré avoir quitté la France « juste après les élections en grande partie à cause de Sarkozy ». « Je trouve détestable cette

---

1. Interview parue dans *Paris Match* en février 2007.

atmosphère de flicage, de vulgarité »[1] avait confié la future lauréate du prix Goncourt 2009.

Par la suite, l'auteur de *Trois femmes puissantes* a quelque peu atténué ses propos récusant l'idée d'un exil politique : « Je ne crois jamais qu'un seul homme puisse faire un pays. Je ne veux pas avoir l'air de fuir je ne sais quelle tyrannie insupportable. Depuis quelque temps je trouve l'atmosphère en France assez dépressive, assez morose. Il me semble qu'à Berlin elle est plus exaltante[2]. » Voilà qui décevra tous ceux qui avaient cru à l'émergence d'une femme de lettres engagée marchant sur les brisées de Victor Hugo, prête à ferrailler avec l'immonde autocratie élyséenne du fond de son exil berlinois.

Marie N'Diaye n'est pas la première personnalité à invoquer une allergie au pouvoir en place pour expliquer son besoin de changer d'air. En 2005, Yannick Noah avait déjà défrayé la chronique en lâchant dans *Paris Match* son désormais célèbre : « Si jamais Sarkozy passe, je me casse ! » La remarque du chouchou du public français fit couler beaucoup d'encre... hormis dans le grand hebdomadaire qui omit d'imprimer les propos incendiaires de l'artiste. Les mauvaises langues prétendent que *Paris Match* (« le poids des mots, le choc des photos ») craignait de déplaire au ministre de l'Intérieur de l'époque.

---

1. Interview accordée aux *Inrockuptibles* en août 2009.
2. Sur Europe 1, le 11 novembre 2009.

Quoi qu'il en soit, le prurit anti-Sarkozy ne devait pas trop démanger Yannick Noah puisqu'il mit plus d'un an après le triomphe électoral de sa bête noire avant de se décider à s'envoler pour l'Amérique de… George Bush. Il concéda plus tard que son départ était plutôt motivé par des raisons familiales et n'avait finalement « rien de politique, même si Sarkozy, ça n'a[vait] pas aidé ». La suite le prouve effectivement : il s'apprête à laisser derrière lui l'Amérique d'Obama pour rentrer dans la France de Sarkozy…

« Ce genre de "menace" showbiz alimente les chroniques "pipole" mais n'a pas de réelle incidence politique ; et heureusement pour Noah, car s'il en était autrement, le résultat des urnes eût ressemblé à un camouflet », fait gentiment remarquer Charlélie Couture, ami de Yannick et new-yorkais comme lui.

Si l'inusable « personnalité préférée des Français » continue de regarder le « premier de tous les Français » avec la même défiance, Noah a, depuis lors, adopté une posture fataliste sur le sujet. Après tout, à quoi bon pleurer sur le lait renversé ? « J'avais peur avant et je ne suis pas trop surpris de ce qui se passe aujourd'hui. C'était prévu. J'étais déçu au moment de l'élection mais voilà, ça y est, j'ai digéré ça. Après, chacun repart au boulot, je n'ai pas voté pour le président actuel mais voilà, la vie continue… Par contre, j'essaie toujours de chercher les bonnes énergies là où elles sont, c'est l'avantage de pouvoir voyager, le privilège de vivre une vie libre. Ici, il s'est passé des choses merveilleuses et je vais essayer de les faire partager à des gens qui éventuellement m'écoutent. »

Parmi ces « choses merveilleuses » que Yannick Noah a vécues aux premières loges, il y a eu, bien sûr, l'élection de Barack Obama… « L'un des moments les plus forts de ma vie », n'hésite pas à dire cet autre enfant du métissage qui fut lui aussi, à un niveau certes plus modeste, la fierté de tout un pays. « C'est quelqu'un qui a eu le pouvoir incroyable de redonner le moral à la planète, tout simplement, et le moral des troupes c'est quand même important, par les temps qui courent. »

À l'inverse de Yannick Noah, Charlélie Couture ne se sentait pas *trop* connu mais plutôt *mal* connu en France. Et c'est cela qui l'a poussé à prendre un aller simple pour New York en 2004. Celui qui se définit comme « un artiste multiste » (il est musicien, compositeur, poète, sculpteur, dessinateur, peintre, photographe et designer) a fini par en avoir assez de voir son œuvre protéiforme réduite à la seule image du chanteur à barbichette susurrant « Comme un avion sans ailes ». D'ailleurs, si vous voulez mettre en rogne l'affable CharlElie, appelez-le « Charlélie Couture »… Ce patronyme, rectifie-t-il, se réfère à « un chanteur apparu dans les années 80 » : « J'ai quitté la France pour recommencer ma vie. Ma relation avec le public de mon pays s'était établie un peu sur un malentendu. La musique m'a dans un premier temps donné une certaine indépendance financière et de création, mais j'avais le sentiment d'avoir "aussi" quelque chose à dire d'au moins aussi intense dans le domaine des arts visuels. Or, plus j'en faisais, et moins j'avais le sentiment d'être accepté dans l'un et l'autre des mondes de l'art et de la musique. Donc je suis parti pour plonger dans le grand bain de l'art contemporain, pour aller voir ailleurs si j'y suis, pour essayer de savoir ce que je vaux, pour reconstruire mon âme en morceaux et pour donner à mes enfants une éducation comparée... »

À New York, les journées de l'hypercréatif Charl-Elie démarrent à 7 h 30. Devant son ordinateur, il écrit ou retravaille des photos. En début d'après-midi, l'artiste enfourche son vélo pour rejoindre son atelier situé au douzième étage d'un building avec vue sur le fleuve Hudson. À Manhattan, il multiplie les rencontres avec d'autres artistes, des collection-neurs, des galeristes, des commissaires d'exposition sans que ce satané avion sans ailes ne fasse de l'ombre à son travail artistique : « Les gens ici ne me connaissent pas. À New York, on prend les choses pour ce qu'elles sont. On accorde plus d'importance aux faits qu'aux paroles. J'ai trouvé à exposer trois mois après mon arrivée, et le bon accueil que j'ai reçu m'a servi de référence constructive. J'avais fait plus de 80 expos en France mais les institutions, les universitaires et le monde de l'art feignaient de m'ignorer parce que je ne venais pas du monde du silence, mais d'un autre monde, celui du spectacle. Il est certain que lorsque j'ai compris que j'étais dans un tiroir, j'ai trouvé qu'il ressemblait plutôt à un sarcophage. Chaque compliment était un clou pour fermer le couvercle. Sous-entendu, "j'avais été"... »

Marc Levy, lui aussi, se méfie des compliments à double tranchant. Invariablement présenté dans la presse hexagonale comme un « auteur de best-sellers », le romancier français le plus lu dans le monde n'aime guère l'expression. « Auteur de best-sellers... comme si c'était un métier ! Moi, ça me fait marrer. Vous imaginez un peu : "Qu'est-ce que vous faites dans la vie ? – Ben, moi, je suis auteur de best-sellers." Comme si, systématiquement, lorsque vous sortez un livre, ça ne peut qu'être un best-seller. »

Plus modestement, Marc Levy préférerait qu'on dise de lui qu'il est écrivain. S'il n'éprouve aucune honte à avoir vendu 19 millions de livres traduits dans 41 langues, l'auteur à la plume d'or n'est que trop conscient du sous-entendu. « Auteur de best-sellers », ça évoque plus Pierre Bellemare que Marcel Proust. C'est la fameuse distinction faite entre les livres qu'on lit en voyage et ceux qu'on lit pour voyager. Aux yeux de la critique littéraire parisienne, un succès de librairie comme le sien est forcément suspect : « Les dix représentants autoproclamés de la littérature se présentent comme les défenseurs de la littérature et, dans leur comportement, montrent tous les signes qui disent qu'à leurs yeux elle ne peut être que le produit d'une élite, réservé à une élite. Les prétendus diffuseurs de la culture sont les gardiens d'une citadelle qu'ils souhaiteraient imprenable et dans laquelle ils ont une autorité et une légitimité qu'ils entretiennent entre eux. Vous avez toujours cette hypocrisie dans le rapport à la culture en France, les intellectuels voudraient qu'elle soit populaire mais en même temps ils sont horripilés par tout ce qui est populaire. La France est un pays délicieux par ses contradictions. Je pense que la France est fondamentalement un pays de gauche royaliste. La France est une monarchie de gauche. »

La pesante étiquette d'« auteur de best-sellers qui plaît tant au lectorat féminin » est un peu le « sarcophage » de Marc Levy. Mais, à l'inverse de Charl-Elie, il n'a pas quitté la France pour se libérer d'un succès ambivalent : « On vit à l'étranger parce qu'on aime vivre à l'étranger, parce qu'on aime telle ou telle ville ou que votre carrière vous y conduit. Il y a suffisamment de raisons et d'envies de vivre ailleurs pour ne pas fuir quelque chose. Chaque pays, chaque mode de vie a ses qualités et ses défauts, après, libre à chacun de trouver son pays. Il y aura toujours des gens pour qui il fait trop froid dans le Nord et d'autres pour qui il fait trop chaud dans le

Sud. Ce n'est pas par fuite ou par désamour de la France que je vis à l'étranger, c'est parce que j'ai toujours aimé ça. »

De fait, Marc Levy n'a pas attendu de se retrouver en tête des gondoles des relais H pour prendre ses distances avec l'Hexagone. C'est en tant qu'entrepreneur que ce diplômé en informatique et en gestion de l'université Paris-Dauphine est parti à la conquête de l'Amérique de Ronald Reagan, y créant deux sociétés spécialisées en images de synthèse, une dans le Colorado et une en Californie. Mais, en 1989, après avoir perdu le contrôle de son entreprise, Marc Levy démissionne et rentre à Paris où il fonde une société de travaux de finition qui devient rapidement l'un des premiers cabinets d'architecture de bureau en France.

Ce n'est qu'à l'âge de trente-sept ans qu'il se sent venir des fourmis dans les doigts et entreprend la rédaction de son premier manuscrit, une histoire écrite pour l'homme que sera un jour son fils, alors âgé de neuf ans. Il faudra, selon la légende, toute la persuasion de sa sœur scénariste pour que l'écrivain amateur se décide à envoyer sa prose aux éditions Robert Laffont. Avant même la sortie du livre, les droits d'adaptation cinématographique de *Et si c'était vrai* sont achetés par un certain Steven Spielberg. Joli tour de force : son premier roman n'a pas encore vu les néons d'une librairie que Marc Levy est déjà un auteur de... best-seller !

En 2000, il s'installe de l'autre côté de la Manche, dans cette Angleterre de Tony Blair qui semble aspirer tous les talents français. Durant les huit années de son expatriation britannique, l'écrivain recevra la visite d'un Nicolas Sarkozy en campagne, impressionné par un tel phénomène littéraire : « Moi, je regrette, un type qui vend des millions d'exemplaires ça m'intéresse. Si je lis pas Marc Levy, si je regarde pas le Tour de France, je fais un autre métier[1] », confie-t-il à la dramaturge Yasmina Reza qui suit le candidat de l'UMP comme son ombre.

Marc Levy vit désormais à New York, dans une petite maison au cœur de Manhattan, où il écrit ses romans à succès qui, à défaut de plaire à l'intelligentsia parisienne, séduisent des millions de lecteurs et lectrices parmi lesquelles la belle-fille du chef de l'État. « Ma fille m'a chargé de vous dire qu'elle vous aime. C'est une fan absolue[2] », lui a en effet confié Nicolas Sarkozy avant de lui demander un autographe...

N'en déplaise au président, « l'écrivain a des lecteurs, pas des fans. Il n'est ni une rock-star, ni un acteur de cinéma, rectifie Marc Levy. S'il arrive qu'on le reconnaisse dans la rue, il n'a pas du tout le même type de rapport. Jamais je n'ai eu l'idée de quitter la France pour rester anonyme. En revanche, à

---

1. Yasmina Reza, *L'aube, le soir ou la nuit, op. cit.*
2. *Ibid.*

l'étranger, on est beaucoup plus protégé contre la tentation de rentrer soi-même dans la case qu'on vous a dessinée en France. Quand je suis à New York, je ne suis pas l'écrivain à succès de *Et si c'était vrai...* Je suis le type qui va acheter son beefsteak chez le boucher, qui rentre chez lui et fait son travail d'artisan en père peinard. Il n'y a pas ce côté hiérarchie sociale, ce côté rangement dans une boîte... Quand vous vivez à l'étranger, vous êtes vous-même. C'est une école d'humilité permanente parce que vous passez votre vie à vous intéresser aux autres et pas à faire en sorte que les autres s'intéressent à vous. Ce n'est pas un rapport lié à la notoriété, c'est un rapport lié à la diversité de ce que l'on peut être dans sa vie. Quand vous vivez en dehors de votre propre société, on ne vous ramène pas uniquement à une chose, vous avez la liberté d'être plusieurs choses à la fois. La palette d'identifiants est beaucoup plus large. »

Du fait de son héritage familial, de ses rencontres, de sa carrière de sportif qui l'a mené aux quatre coins de la planète, mais aussi de sa personnalité, Yannick Noah peut, sans coquetterie excessive, affirmer être un citoyen du monde. Sa vie au long cours a renforcé son goût naturel pour le relativisme culturel : « Il n'y a pas de pays parfait sinon ça se saurait et on y irait tous, mais on trouve tous quelque chose de bon ici ou là. Il y a des points positifs et des points négatifs, c'est ce que j'essaie de dire à mes enfants, c'est ce que j'essaie de vivre au quotidien. Pouvoir voyager c'est un luxe, ensuite le bonheur c'est de trouver les bonnes choses et de s'imprégner de ces bonnes choses. »

L'éloignement géographique s'accompagnerait-il d'une prise de distance affective par rapport à son propre pays ? Malgré son goût pour une vie sans frontières, Noah reste attaché à cette mère patrie qu'il a servie, la raquette à la main, pendant des années. « Ma vie et mon métier ont voulu que je porte souvent le survêtement de l'équipe de France. Je ne suis pas forcément cocardier, la Marseillaise sans plus, mais au bout d'un moment, quand tu joues, quand tu es à l'autre bout du monde, eh bien oui, tu représentes ton pays, avec ton jeu mais aussi avec ta façon d'être. Je prenais ça assez au sérieux, j'en étais assez fier. »

C'est un phénomène bien connu : la distance peut réveiller le coq gaulois qui sommeille en vous surtout quand la patrie est traînée dans la boue comme ce fut le cas lors du différend franco-américain sur l'Irak : « J'ai été très Français engagé après le 11-Septembre... Je me sentais très fier que Chirac décide de ne pas aller en Irak, je ne lâchais rien dans les dîners face à mes potes américains qui voulaient tout raser à part l'Amérique. J'étais très, très, très fier quand de Villepin est venu faire son discours ici. Là, je me suis vraiment senti représentant, ambassadeur. »

Yannick Noah est peut-être un immigré anonyme à New York. Vu de France, il est tout sauf un émigré lambda. Et il y a quelque chose de presque réconfortant à se dire que, malgré sa célébrité et ses millions, la star française peut, comme tout un chacun, se languir de ces petits riens que l'on ne trouve pas dans son pays d'accueil : « Il y a des choses qui me manquent de la France... Je n'ai pas ma petite baguette du matin, le bonheur simple de la petite baguette du matin ! Mais c'est vrai qu'en sortant d'un concert tard le soir à New York j'aime pouvoir me dire : "tiens, on peut aller se bouffer quelque chose à deux heures du matin." Il y a des choses positives et négatives... Je puise ici tout ce qu'il y a de positif et quand je rentre en France, je suis aussi content de rentrer. » N'est-ce pas là le parfait vade-mecum de l'expatrié heureux ? Savoir profiter de ce que les autres pays ont à offrir de meilleur au lieu de pleurer sur l'herbe verte qu'on a laissée derrière soi...

Spontanément, on pourrait se dire que la célébrité et la fortune coupent de la vie quotidienne nos gloires exilées. Dès lors, leur regard sur la France revêt-il le moindre intérêt ? Tout dépend certainement du point d'observation. Depuis Monaco, la Suisse ou Beverly Hills, le prisme est probablement trop déformant pour nourrir une réflexion essentielle sur les réalités hexagonales. Mais, à moins d'avoir élu domicile dans une réserve de gens riches et célèbres, l'expatriation peut replonger l'artiste, l'écrivain ou le sportif de renom dans le bain de la « vraie vie ».

Ainsi, on peut s'appeler Charlélie Couture et ressentir, avec la même force que le commun des mortels, les désagréments d'un retour brutal aux réalités françaises : « Quand on vient de l'étranger, on a le sentiment que les Français ne s'aiment pas les uns les autres, qu'ils s'en veulent mutuellement. Je comprends mal les comportements antisociaux, les machos agressifs, la mauvaise humeur des serveurs et des employés des services publics, la violence dans la rue... Je hais les flics imbus de leur statut d'intouchables, autant que ceux qui ne respectent pas les règles communes, ceux qui fument dans les lieux publics ou les connards qui te passent devant au milieu d'une queue. Je déteste désormais tout cela plus encore qu'avant, parce que je sais que ça n'est pas une fatalité car on ne vit plus cela de la même manière au quotidien ici à New York où les gens s'excusent quand ils te bousculent. »

Le regard toujours affûté, CharlElie note que l'agressivité s'exprime différemment des deux côtés de l'Atlantique : « Aux États-Unis, les faits-divers violents sont des actes isolés, conséquences de malaises psychopathes ; ces drames, crimes, ou accidents, si terribles qu'ils soient, sont perpétués d'homme à homme, et non pas contre le système. Quand on rentre en France, on retrouve des gens qui sont souvent en bataille contre le système politique lui-même, lequel ne se sent pas atteint dans son fondement ni dans sa bonne conscience puisqu'il "impose" le respect de l'Autre. Alors chacun essaie de détourner les lois, les règlements, l'ordre, les codes… Ça se traduit soit par une forme d'ironie caustique, soit par une certaine acrimonie cynique, soit par de la jalousie pure et simple, soit par une amertume désabusée. »

Confronté à la courtoisie légendaire des Parisiens, Marc Levy ressent, lui aussi, plus fortement qu'auparavant, un décalage culturel assez marqué : « Quand on a pris goût à la civilité anglo-saxonne et qu'on arrive à Paris, on est consterné. Quand vous commandez un café et que vous êtes en face de quelqu'un qui ne vous dit ni bonjour, ni merci et vous balance pratiquement votre café à la figure, vous vous dites : "mais qu'est-ce qui se passe ?" Le gros problème de la France, c'est qu'on ne s'est jamais remis de la Révolution française, on considère que les métiers de service sont des sous-métiers. On les fait donc sans aucune passion et sans aucun amour. » En France, le client est censé être roi. Et en songeant à la fin peu enviable de Louis XVI, on se dit que les garçons de café appliquent, effectivement, le dicton à la lettre.

Vivre à l'étranger, c'est revisiter son propre pays avec un regard neuf et une capacité nouvelle à s'indigner. Ce qui était naguère accepté avec le même fatalisme qu'une météo pluvieuse apparaît soudainement intolérable. Ne doutant de rien, Marc Levy a entrepris d'enseigner les vertus de la politesse aux chauffeurs de taxi parisiens : « Souvent je leur dis : "Vous ne pouvez pas savoir combien votre journée serait plus agréable si vous disiez bonjour et au revoir à vos clients." Ça paraît idiot... Deux fois sur trois, on vous envoie sur les roses. Une fois sur trois, le dialogue s'ouvre. »

Bien sûr, la France ne se résume à l'irascibilité des garçons de café et des chauffeurs de taxi parisiens. Vivre ailleurs amène aussi à percevoir, plus clairement, les atouts de son propre pays : « La France est extrêmement innovante, beaucoup plus innovante qu'on ne voudrait le laisser croire, assure Marc Levy. Dans tous les domaines il y a un niveau d'infrastructure que de nombreux pays pourraient nous jalouser, particulièrement l'Angleterre et par bien des aspects les États-Unis. Ce n'est pas demain que les États-Unis disposeront d'un réseau ferré tel que le nôtre, et leur système hospitalier est loin d'être à la même hauteur. Au niveau des télécommunications, on n'a rien à leur envier, ni en matière culturelle. Il y a aussi des lois qui ont permis de sauver des choses, regarder un film à la télé aux États-Unis, je vous assure, c'est un cauchemar ! »

Malgré son regard critique sur la mère patrie, CharlElie déclare tout de go : « J'aime la France, dans l'absolu. La France est un pays "spirituel", avec des gens pleins d'esprit. » Installé dans la Grosse

Pomme depuis six ans, l'artiste affirme ne rien renier : « Ma culture est française et mes schémas de pensée sont les mêmes que ceux de mes compatriotes. Simplement, je comprends mieux maintenant la mécanique des systèmes. » La profondeur de réflexion et le franc-parler dont a toujours su faire preuve l'auteur de *Poème-Rock* ne l'amènent pas franchement à pousser des cocoricos sur commande ni à se lancer dans des déclarations d'amour patriotique un peu creuses. Cela donne d'autant plus de relief au regard qu'il porte sur les aspects positifs de notre culture : « J'aime la sensibilité et le goût français pour les choses subtiles. J'aime aussi la beauté truculente du français quand il est bien parlé et l'intelligence qui peut s'y développer en filigrane. J'aime le savoir-faire des artisans capables de résoudre toutes les énigmes matérielles avec leurs mains. J'aime la qualité de ses produits alimentaires et le charme du regard des femmes. »

Foi de CharlElie... La France, on peut l'avoir quittée et continuer de l'aimer.

Entrepreneurs sans frontières

Pierre-Yves Gerbeau a un vice : il aime les belles voitures. Si cet entrepreneur français promène sans gêne son Aston Martin, sa Lamborghini ou sa Maserati dans les rues de Londres, jamais il ne lui viendrait à l'esprit d'exhiber ce signe extérieur de richesse sur les bords de la Seine. Au pays de l'argent sale, il ne doute pas qu'il se trouverait une bonne âme pour lui rayer sa carrosserie afin de lui apprendre à se pavaner au volant d'une voiture de luxe. C'est ce type de comportement, à ses yeux symptomatique de la mentalité française, que Pierre-Yves Gerbeau appelle « envie négative » par opposition à cette « envie positive » qu'il perçoit chez les Anglais : « Ici, quand quelqu'un réussit, ça donne envie de faire pareil... »

À la tête de la plus grosse entreprise britannique de loisirs, X-Leisure, ce jeune patron se désole des réactions hostiles que suscite la réussite économique : « On n'est pas des dealers de drogue, on ne blanchit pas de l'argent, tous les patrons qui ont réussi ne sont pas en train de dépecer les entreprises, de virer à tour de bras et de planquer leur argent en Suisse. »

En France, l'argent semble toujours traîner derrière lui une odeur nauséabonde. Comment ne pas penser à la fameuse tirade mitterrandienne, au congrès d'Épinay de 1971, contre « l'argent qui corrompt, l'argent qui achète, l'argent qui écrase, l'argent qui tue, l'argent qui ruine, l'argent qui pourrit jusqu'à la conscience des hommes » ? Venant de François Mitterrand dont le second mandat sera éclaboussé par l'affairisme, la diatribe ne manque pas de piquant *a posteriori*. N'est-ce pas là une belle métaphore de cette hypocrisie hexagonale vis-à-vis de l'argent ?

Comme le péché originel, l'enrichissement – même légal – paraît souiller de façon indélébile son bénéficiaire. Faut-il y voir l'influence de ce vieux fond catholique français qui considère l'acquisition de richesses avec suspicion ? L'éthique protestante aurait, à l'inverse, permis l'émergence de l'esprit du capitalisme en valorisant l'accumulation de capital par le travail, suivant l'analyse chère au sociologue allemand Max Weber.

Plutôt qu'à une lecture politico-religieuse Pierre-Yves Gerbeau, ancien hockeyeur professionnel reconverti dans l'industrie du loisir, préfère recourir à la métaphore sportive : « Nous sommes des Poulidor, à la base. En France, on aime beaucoup le gars qui ne gagne pas mais qui se bat. Ici, ils aiment l'outsider, mais l'outsider qui va dépasser le premier. Ils vont célébrer sa victoire. Je crois que nous sommes des gens envieux. Nous n'aimons pas ceux qui réussissent. Pourtant, du moment que vous respectez les règles et que vous en faites profiter les autres, je ne vois pas quel est le problème. »

Avec sa coupe en brosse, son sourire communicatif et son énergie à revendre, Pierre-Yves Gerbeau est l'une des figures françaises les plus connues au nord de la Manche. Il faut dire que « PY » (prononcer « Pi Ouaï »), comme l'appellent ses 3 000 salariés, n'a pas débarqué incognito sur les rives de la Tamise. En janvier 2000, la nomination d'un Français à la tête d'un « Dôme du millénaire » en plein marasme avait fait les gros titres de la presse anglaise plutôt enthousiasmée par la personnalité décontractée et dynamique de cet ancien cadre dirigeant d'EuroDisney.

Au final, il n'y eut pas de *happy ending* pour ce projet mal emmanché dès le départ. Après la fermeture de l'« Exposition du millénaire », à la fin de l'année 2000, Pierre-Yves Gerbeau, soutenu par un groupe d'investisseurs, tenta de reprendre l'exploitation du site devenu le plus énorme éléphant blanc du royaume. Mais son projet ne fut pas choisi. Depuis, d'autres que lui se sont chargés de transformer ce dôme maudit en un haut lieu de concerts et de spectacles qui tourne désormais à plein régime sous le nom d'Arène O2.

Malgré cette occasion manquée, le Zébulon français de l'industrie du divertissement a rapidement rebondi en lançant X-Leisure. Sa pointe d'accent franco-américain et son goût affirmé pour la provocation lui garantissent des passages réguliers à la télévision britannique. Comment nos meilleurs ennemis n'adoreraient-ils pas ce Français, marié à une journaliste anglaise, ayant juré de rester dans leur royaume jusqu'à la fin de ses jours plutôt que de retourner dans un « État communiste » ? Proclamée durant « Question Time », l'une des émissions phares de la BBC, cette promesse du camarade « PY » fit beaucoup rire un public anglais qui ignorait qu'un Français pouvait faire preuve d'autodérision.

Mais s'agissait-il vraiment d'un trait d'humour ? Pierre-Yves Gerbeau se dit sincèrement chagriné par tous les blocages qui, selon lui, empêchent la France de progresser aussi vite qu'elle le devrait. Il avait espéré que l'arrivée de Nicolas Sarkozy au pouvoir valoriserait et remettrait l'« esprit d'entreprise » au cœur de l'économie française. Aujourd'hui, il déchante : « Quand je vois tous mes copains en France, ils sont toujours dans la même panade. Ils sont en faillite avant même d'avoir démarré leur affaire à cause des taxes. La relance qu'on espérait n'a pas eu lieu. C'est terrible : les obstacles à l'entreprenariat sont toujours là. Ça n'avance pas. »

Sous le maillot de la sélection nationale de hockey sur glace, Pierre-Yves Gerbeau a subi une grave blessure à la cheville qui l'a cloué dans un fauteuil roulant pendant deux ans. Du coup, il manque de s'étrangler chaque fois qu'on ose suggérer que son expatriation est un peu trahison de la mère patrie.

Traître à la patrie… C'est cette étiquette que certains journaux ont collé sur le front d'Olivier Cadic. Cet entrepreneur breton installé en Angleterre a eu la mauvaise surprise de retrouver son nom sur la liste de « ces Français qui détestent la France » concoctée par un magazine. La rançon de la gloire… Avant de partir pour la Grande-Bretagne, avec capital et bagages, Olivier Cadic avait décidé de donner un certain retentissement médiatique à la délocalisation de sa société Info-Elec, spécialisée dans le service aux fabricants de circuits imprimés. Contrairement à ces pauvres riches qui s'éclipsent honteusement sur la pointe des pieds, Olivier Cadic avait rameuté la presse parisienne pour dénoncer le matraquage fiscal dont les entrepreneurs français étaient, selon lui, les premières victimes.

« Le silence est trahison. »… Avec une pointe de grandiloquence, le chef d'entreprise exilé cite volontiers Martin Luther King pour justifier son départ tapageur. « Partir sans rien dire, c'est trahir. Quand j'ai quitté la France, ce n'était pas sur un coup de tête. Je ne voyais pas d'issue. J'avais dit à l'époque : pour mon entreprise, c'est la valise ou le cercueil. Je ne voyais pas de possibilité de développement dans

le système en France. » À l'époque, l'annonce fracas-
sante de cet exil pour cause de taxes et de charges
sociales abusives n'avait pas seulement fait du bruit
dans le Landerneau hexagonal alors dirigé par le duo
Chirac-Juppé. Olivier Cadic eut également les honneurs des gazettes internationales. Le très prestigieux
New York Times reprit une sentence du jeune entrepreneur rebelle pour en faire sa citation du jour :
« Toute ma vie, j'ai vu en haut de mon école Liberté
Égalité Fraternité. La liberté, je l'ai vraiment découverte quand je suis arrivé en Angleterre. »

Avec des accents gaulliens, Olivier Cadic avait
même lancé, à l'époque, « France libre... d'entreprendre », une association d'aide et de conseil aux
chefs d'entreprise désireux de s'expatrier et de fuir la
supposée tyrannie fiscale française. Treize ans après
son « appel du 18 juin », le trublion est toujours « en
exil » en Angleterre. Entre-temps, il a revendu sa
société informatique sans payer de plus-value ni
d'impôt sur la fortune. En 2004, il s'est lancé dans
une nouvelle aventure, plus familiale : avec son
épouse, il a monté la maison d'édition Ciné-book
qui traduit des BD françaises et belges en langue
anglaise.

Quand il jette un coup d'œil au-delà du Channel,
Olivier Cadic se dit que l'esprit d'initiative y reste
encore largement bridé : « En France, pour avoir la
liberté, il faut demander l'autorisation. Vous voulez
créer votre entreprise ? Allez chercher le coup de

tampon. Vous êtes libre, mais avec une autorisation. Ce n'est pas ma conception de la liberté. Ici on peut créer un petit business à côté de son activité. On paie ses trois factures et on n'en parle plus. On améliore son train de vie et ça n'embête personne. En France, vous avez l'impression que dès que vous faites quelque chose vous dérangez quelqu'un. »

C'est à la fois cette conception restrictive de la liberté et une application abusive de la notion d'égalité qui heurtent la sensibilité libérale d'Olivier Cadic. « Pour moi, la richesse, ce n'est pas d'avoir beaucoup d'argent, c'est d'en avoir assez. Ma vision de la vie ce n'était pas de devenir milliardaire. Je voulais gagner suffisamment d'argent pour avoir une vie correcte et pouvoir faire ce que j'avais envie de faire, c'était ça mon objectif. J'ai pu l'atteindre en Angleterre. Tout ce que j'ai gagné, c'est parce que j'ai travaillé dur, vraiment dur », insiste Olivier qui a démarré son entreprise avec, en tout et pour tout, un bac informatique et 3 000 euros d'économie. « En France, il y a eu des améliorations, mais sur le fond rien n'a changé : il y a toujours l'ISF. C'est un truc extraordinaire. C'est l'exemple même du conservatisme à la française. Il faut qu'il y ait quelqu'un qui paie pour les autres. C'est un concept très français. »

Aux yeux d'Olivier Cadic, le « fardeau » des charges sociales que l'on fait peser sur les épaules de l'entreprise nuit gravement à la santé économique du pays et en définitive à l'emploi. Il reproche à la classe politique française de caresser l'opinion dans le sens du poil en perpétuant la loi d'airain suivant laquelle les entreprises doivent payer pour tout le monde.

Didier Rechatin, lui, n'a pas cherché à échapper aux griffes du fisc français, sinon il aurait choisi une autre destination que la Suède, un État réputé pour le niveau élevé de ses impôts et de ses charges sociales. Ce sont des pensées plus romantiques (l'amour) qui ont guidé ses pas vers la Scandinavie. À Stockholm, où il a monté sa société, ce diplômé de l'École nationale supérieure de l'aéronautique et de l'espace a pu constater que social-démocratie ne rimait pas forcément avec bureaucratie : « En Suède, c'est quand même plus simple de monter un projet. Tout de suite, en France, on est pris dans un processus de déclaration des impôts et de papiers à remplir. »

Comme tant d'autres au tournant du millénaire, Didier Rechatin avait investi dans les nouvelles technologies en espérant un décollage fulgurant de sa start-up. Au final, l'atterrissage allait s'avérer très brutal... En même temps que la bulle Internet, le projet de l'ancien de SupAéro explose en plein vol. Didier ne se décourage pas. Une fois la faillite déclarée, le jeune entrepreneur décide de reprendre l'une des activités de sa start-up et de lancer Promotheo, une société qui propose de nouvelles solutions pour identifier le propriétaire d'un objet perdu et le mettre en contact avec le « trouveur ». Basée à Stockholm, son entreprise opère aujourd'hui en Suède et en France.

L'expérience de son premier échec a permis à Didier de noter une différence de taille dans la perception d'une faillite dans les deux pays : « En France, quand vous faites faillite une fois, c'est terminé, vous ne pouvez pas reprendre la même entreprise, alors qu'en Suède j'étais encore le bienvenu. Leur approche était de dire : vous connaissez la boîte mieux que quiconque, vous savez pourquoi ça n'a pas marché, donc vous pouvez agir en conséquence. En France, l'attitude est la suivante : vous vous êtes planté, c'est terminé. En Suède, c'est un peu la vision américaine de la faillite. Bon, ça ne va pas aussi loin qu'aux États-Unis où, à la limite, plus vous avez fait de faillites mieux c'est pour votre CV, car vous savez comment éviter les problèmes. Mais ce n'est pas la France où vous avez trahi la confiance et où l'on ne vous donne pas une seconde chance. Ça montre l'attitude négative que l'on peut avoir en France par rapport à l'échec. »

Marie-Reine Jézéquel, la présidente et fondatrice de New York Habitat, une société spécialisée dans la sous-location de logements, a beau avoir vécu le fameux rêve américain, elle refuse pour sa part de souscrire à cette vision caricaturale d'une France courtelinesque où les entrepreneurs seraient sans cesse persécutés par des bureaucrates tyranniques : « Ça m'énerve un peu de rentrer dans tous ces clichés-là. J'ai trouvé des choses bien plus faciles ici et bien plus difficiles en France, mais aussi l'inverse. Je place la notion de facilité à un autre niveau. Je pars du principe que nul n'est prophète en son pays. C'est tout simplement plus facile de faire des choses et d'oser dans un autre pays. »

Oser échouer, oser réussir… C'est sans capital, sans réseau et avec juste une formation d'éducatrice spécialisée que cette Finistérienne est partie à la conquête de New York en 1986. Elle a connu la galère et les petits boulots avant de se lancer dans l'import-export de meubles rustiques acheminés de France pour des Américains toujours fascinés par les pièces de mobilier en provenance de la vieille Europe. Mais Marie-Reine s'avère d'un bois un peu tendre pour le monde de l'antiquité. « Ça ne s'est pas très bien passé. Il fallait spéculer sur les pièces », se souvient-elle, concédant que la spéculation n'était alors pas son point fort.

Jamais à court d'idées, elle se tourne vers l'immobilier. C'est le New York du début des années 1990, pas encore le Manhattan chic et glamour de « Sex and the City ». Rudolph Giuliani n'est pas encore passé par là avec sa politique de tolérance zéro repoussant les marginaux et les plus pauvres à la périphérie de la ville qui ne dort jamais. Le prix du

mètre carré est encore abordable. Marie-Reine
investit dans un loft qu'elle transforme en une petite
auberge de jeunesse pour des *backpackers* au petit
budget.

C'est la préhistoire de New York Habitat. Car
l'histoire de l'entreprise démarre véritablement avec
la naissance de l'Internet. Dès 1998, Marie-Reine
comprend tout l'intérêt et le potentiel du web. Elle
lance ce concept nouveau : la sous-location d'habi-
tations en ligne pour des courtes durées. « Vous par-
tez en vacances ? Gagnez de l'argent ! » promet alors
l'agence qui met en contact les propriétaires de logements meublés et les gens souhaitant séjourner dans
la Grosse Pomme pour des périodes allant de quelques jours à plusieurs mois.

Malgré un contexte difficile, lié aux attentats du
11 septembre 2001 puis à la récente crise immobi-
lière et financière, l'entreprise de Marie-Reine Jézéquel a réussi à se développer au fil des années.
Comptant une trentaine de salariés auxquels s'ajoute
un réseau d'« auto-entrepreneurs », New York Habitat a désormais une filiale à Londres et une à Paris,
avec une antenne en Provence. Malgré sa réticence
à comparer les modèles français et américain, cette
self-made woman bretonne concède qu'« au niveau
de la paperasserie, c'est plus facile aux États-Unis.
En France, c'est très laborieux, il faut entrer dans des
cases, il faut avoir fait toutes les écoles. C'est très
lourd ».

Et, de son point de vue, cette lourdeur peut décourager des jeunes entrepreneurs perdus dans la jungle bureaucratique française. « Pour ceux qui démarrent avec des idées mais peu de capital, je pense que ce n'est pas évident. En France, c'est bien plus difficile au début, quand on tâtonne et qu'on n'est pas déjà sur les rails. Maintenant, peut-être qu'avec le statut d'auto-entrepreneur les gens pourront tenter certaines choses. C'est important : il faut avoir une infrastructure où l'on est capable d'expérimenter. Il faut pouvoir se tromper. »

Plus souples que la législation française, les lois américaines sur la faillite (notamment le fameux « chapitre 11 ») permettent aux entrepreneurs de rebondir en cas de problème. « Aux États-Unis, on peut s'endetter, déclarer une banqueroute et repartir après. En France, ça n'existe pas, cette idée de repartir après une faillite. C'est toute la question de savoir s'il faut imposer des garde-fous ou estimer que la personne a le droit de se relever d'un échec... Donner une seconde chance, c'est bien. Mais il y a des excès qu'il faut pouvoir contrôler. Dans le système américain, on peut pointer les dérives à la Madoff. »

Et si cette rigidité hexagonale, tant décriée, avait aussi ses vertus ? De par les activités de son entreprise, de chaque côté de l'Atlantique, Marie-Reine Jézéquel est bien placée pour comparer les avantages et inconvénients des deux systèmes : « La rigidité française donne un cadre grâce auquel tous les ennuis sont anticipés. C'est le principe de précaution. Le niveau de professionnalisme des gens en France est, quelquefois, bien plus élevé qu'aux États-Unis. »

On oppose souvent la « dérégulation » à l'anglo-saxonne et l'excès de règles à la française. Cette comparaison sommaire ne rend pas vraiment justice à une réalité moins caricaturale. De manière générale, le Code du travail est certes plus protecteur en France qu'aux États-Unis. Les salariés américains ne sont pas pour autant des agneaux sans défense. « Aux États-Unis, certes on peut virer les gens comme on veut, mais les salariés peuvent aussi attaquer les patrons. Il y a des tas de lois contre la discrimination, contre le harcèlement, etc. Si l'on veut soutirer de l'argent à sa boîte, les possibilités ne manquent pas. »

Le patronat français dénonce régulièrement un Code du travail trop rigide qui constituerait un frein à l'emploi. Faute de pouvoir « dégraisser » leurs effectifs et craignant de coûteux plans sociaux, les entreprises y réfléchiraient à deux fois avant d'embaucher. Le modèle américain, lui, repose sur une logique inverse : « Ici, on peut virer les gens du jour au lendemain. Mais on trouve du travail aussi facilement qu'on le perd », confirme Marie-Reine Jézéquel qui se souvient encore de ses larmes après la perte de son premier emploi aux États-Unis. Une amie l'avait aussitôt réconfortée : elle-même en était à son septième licenciement et à chaque fois elle avait retrouvé du travail... En Amérique, la « sécurité de l'emploi » n'est pas une valeur sacro-sainte. Le chômage y est vécu comme une épreuve, pas comme un drame.

En France, la « flexibilité » fait peur. Elle est généralement vue comme un concept inventé par le grand capital pour justifier des licenciements expéditifs et contraindre les salariés à travailler à toute heure du jour et de la nuit. Il ne fait pas de doute que certains patrons nostalgiques du XIXe siècle voudraient disposer d'une main-d'œuvre taillable et corvéable à merci. Ainsi, le P-DG de X-Leisure Pierre-Yves Gerbeau n'en revient toujours pas d'avoir entendu un grand patron français en visite à Londres parler de « mes gens » pour désigner... ses salariés. Face à un patronat aussi peu éclairé, on peut comprendre les réticences syndicales à vouloir discuter de la flexibilité sans tabou.

Pourtant, flexibilité peut aussi rimer avec opportunités pour les salariés. À Londres, Alexandra de Blonay a su tourner à son avantage la fluidité du marché du travail britannique : « Ici, les gens vous donnent une chance de commencer. Grâce à la mobilité, on peut ensuite avancer assez vite. Avec le système français, si l'on ne suit pas le chemin classique, on a beaucoup plus de mal. Je pense que j'aurais été assez coincée en France. Quand je parle à des cousins ou à des amis, ils disent tous qu'ils avancent, dans leur boîte, au rythme des gens qui quittent l'entreprise. »

Arrivée à Londres en 1996, munie d'un bac littéraire « obtenu de justesse », Alexandra a connu les cours du soir, les études de graphisme en parallèle, les soirées et les week-ends studieux. La jeune réceptionniste du début, qui bredouillait un anglais scolaire à la réception d'une maison d'édition, a enchaîné les jobs et gravi les échelons à grandes enjambées pour devenir, onze ans plus tard, la directrice de la communication visuelle de Candy & Candy, une société britannique d'immobilier en vue spécialisée dans l'habitat et la décoration intérieure de très grand luxe, avec à la clé un gros salaire.

Travailler plus pour gagner beaucoup plus... Alexandra n'est pas précisément une sarkozyste de choc. Elle se dit plutôt de gauche. Cela n'a pas empêché cette Française d'une trentaine d'années de mettre en pratique la fameuse formule au nord de la Manche. Elle est bien consciente que sa belle réussite professionnelle a été favorisée par une conjoncture économique très favorable. Une telle ascension serait nettement plus compliquée aujourd'hui dans une Angleterre frappée de plein fouet par la crise. Alexandra reste néanmoins convaincue que le système britannique continue d'offrir la possibilité de « carrières plus dynamiques ».

Par tempérament, elle craint moins de perdre son emploi que d'être enchaînée au même travail toute sa vie. C'est la contrepartie invisible d'un système hexagonal qui garantit une plus grande sécurité de l'emploi mais qui, par sa rigidité, limite la mobilité professionnelle et les opportunités d'évolution. Les statistiques officielles informent constamment sur le nombre de chômeurs, jamais sur la pléthore de salariés insatisfaits qui souffrent en silence à leur poste par peur de démissionner.

Ainsi, même lorsque l'économie française crée de la croissance, le chômage ne recule pas de façon substantielle. Depuis le premier choc pétrolier de 1973, la France a connu quelques embellies sur le front de l'emploi mais pas de périodes prolongées de plein-emploi, à l'instar d'autres économies occidentales. La crainte du chômage s'est enracinée dans la psychologie nationale, faisant presque de la « sécurité de l'emploi » un idéal absolu. Mais le manque de mouvement qui en résulte génère un sentiment de stagnation et de frustration presque palpable dans de nombreuses entreprises françaises.

Du reste, la précarité de l'emploi est loin d'être une spécificité des économies les plus libérales, la France n'y échappe pas. Du fait du manque de flexibilité, les employeurs sont souvent réticents à proposer des contrats à durée indéterminée. C'est un effet pervers et paradoxal du système : la protection de l'emploi peut renforcer la précarisation du travail salarié avec la multiplication des CDD, des temps partiels et des petits boulots. Au final, un tel système protège ceux qui sont solidement installés à leur poste (les CDI) et dessert ceux qui en sont exclus ou restent à la marge.

À ce sujet, l'entrepreneur Pierre-Yves Gerbeau tient d'ailleurs à remettre quelques pendules à l'heure : « Il ne faut pas vilipender le modèle britannique. Nous ne sommes pas dans un monde où les gens se font virer toutes les cinq minutes, où ce serait l'esclavagisme permanent, où le patron aurait droit de vie et de mort. Ces stéréotypes, je les entends en permanence... Il y a une espèce de blocage français à ce propos. Mais on vit très bien ici. Si vous avez envie de bosser, vous bossez, si vous avez envie de bosser moins, vous bossez moins. Et les gens ne se font pas virer à coups de pompe comme on l'entend dans les médias français. Il y a aussi un problème de désinformation même si, encore une fois, je suis prêt à dire que le modèle anglais n'est pas idéal... »

Comment ménager la chèvre et le chou ? Comment débarrasser le marché du travail français de ses rigidités sans détruire un cadre qui offre au salarié un minimum de protection ? Un début de réponse est peut-être à chercher dans l'expérience danoise et dans son fameux concept de « flexi-sécurité » qui conjugue une plus grande facilité de licenciement pour les entreprises avec des indemnités longues et conséquentes pour les salariés.

Au-delà de la question du Code du travail, Pierre-Yves Gerbeau pense que la France doit trouver sa propre voie pour réformer un système « sclérosé » : « Je pense qu'il y a un nouveau modèle à trouver qui est à la moitié du chemin entre le britannique et le français. Il y a un vrai modèle à réinventer, et encore même pas à réinventer : il faut juste faire des ajustements. »

Pour « PY », comparée aux États-Unis, à la Grande-Bretagne ou l'Espagne, la France a finalement plutôt bien traversé la crise. Ce serait, à ses yeux, l'opportunité rêvée pour rebondir et repartir sur un autre pied en libérant les énergies et en laissant les esprits créatifs s'exprimer. Car sous ses dehors de Frenchie américanisé, l'ancien d'Euro-Disney reste cocardier et très fier du « génie français ».

La langue bien pendue, il ne manque d'ailleurs jamais l'occasion de faire rire son auditoire aux dépens de George W. Bush, à qui on attribue cette impayable citation : « *The problem with the French is that they don't have a word for* entrepreneur[1]. » On ne prête qu'aux riches… Il semble que « W » n'ait jamais tenu ces propos. Qu'il soit capable d'un tel

---

1. « *Le problème, avec les Français, c'est qu'ils n'ont pas de mot pour dire* entrepreneur. »

trait de génie ne fait en revanche aucun doute. Quoi qu'il en soit, pour « PY », l'essentiel est de prouver que la France a non seulement inventé le mot « entrepreneur » mais qu'elle reste ce « pays des entrepreneurs » toujours prêt à conquérir le monde.

La culture du conflit

Combien d'expatriés n'ont pas connu la douche écossaise du retour aux réalités hexagonales à l'occasion d'un séjour en France ? Il ne faut guère attendre pour voir son bel enthousiasme à l'idée de retrouver la famille, les amis et la patrie s'envoler au contact de compatriotes agressifs et querelleurs. De retour de l'étranger, c'est une évidence qui saute à la figure (parfois dès les premiers pas dans l'aéroport ou la gare) : les Français aiment le conflit !

Dès qu'il pose un pied sur le sol natal, Michael Mourez, chercheur à l'université de Montréal, comprend aussitôt pourquoi les Québécois se plaignent des « maudits Français » : « Lorsque je suis en France, je ressens une forte tension sociale dans les relations quotidiennes. Dans les grandes villes, la présence policière me frappe beaucoup plus. Je remarque aussi que les Français essayent de gruger les autres, il n'y a qu'à regarder les barrières aux entrées du métro parisien... »

D'où vient ce penchant hexagonal pour le rapport de force ? Ce caractère hargneux serait-il inscrit dans le patrimoine génétique de notre glorieuse nation ? Il faudrait certainement plonger au tréfonds de l'histoire de France et remonter à Vercingétorix pour trouver les racines de ce goût bien gaulois pour la rébellion… Contentons-nous d'accepter ce postulat qui, vu de l'étranger, ne paraît guère souffrir la discussion : les Français ont le génie de la confrontation. Ils ont horreur du compromis et feront tout pour arriver au conflit quand ailleurs on a horreur du conflit et on fera tout pour arriver au compromis.

Trop souvent on semble confondre, au pays de Descartes, esprit critique et esprit de contradiction. « En France, on aime définir les choses par rapport à leur contraire : la nuit, ça n'est pas le jour. On réfléchit par antithèse, observe CharlElie. On se moque des moutons de Panurge obéissants, et on se dit qu'on a un devoir de lutter "contre", alors on réagit par principe. Qu'une idée soit bonne ou mauvaise, on la remet en question. La négation de l'évidence est considérée comme un principe actif. Dans les termes employés au quotidien, on entend souvent soit la négation, soit la double négation. Par exemple, on dira que "c'est pas mauvais", "c'est pas con", "pas dégueulasse", "pas trop nul", etc. De là à dire que c'est bien… non quand même pas… »

De Tokyo, où elle occupe un poste dans un laboratoire scientifique, Julie Lelouvetel fait à peu près le même constat : « L'esprit de contradiction des Français m'irrite, on commence par dire "non" et après on réfléchit. Et même si c'est oui, on continue de dire non. Si je compare avec le Japon où les gens ne savent pas dire non, ça saute aux yeux. Parfois je lis les journaux, je vois qu'il y a une grève, mais impossible de savoir pourquoi. »

De fait, les actions « à la nipponne » (le port du brassard en signe de protestation) ne correspondent pas précisément à la conception française d'un « vrai » conflit social. L'occupation d'usine, le blocage des routes et des ports, la mise à sac des bâtiments officiels siéent nettement mieux au tempérament national. De l'étranger, à écouter les bulletins d'information à la radio française, on est toujours surpris par la longue énumération des mouvements en cours dans le pays. Une grève semble chasser l'autre. « En France, même les chômeurs font grève », ironisa un jour un journaliste anglais.

Disons-le tout de suite, il n'est pas question ici de faire l'apologie du consensus mou et de décréter la nocivité intrinsèque de toute confrontation. L'histoire le prouve : de l'action syndicale peut naître le progrès. De nombreuses avancées ont été arrachées de haute lutte. La manière douce n'aurait probablement pas suffi à « faire plier » les employeurs et/ou le gouvernement. Ajoutons aussi que cette propension des Français à monter sur les barricades pour défendre leurs revendications ne suscite pas qu'irritation et sarcasme chez nos voisins. À l'étranger, il n'est pas rare d'être félicité

163

pour cette obstination à maintenir intact l'esprit de lutte et de révolte.

Pour autant, faut-il s'en glorifier ? La vie sous des cieux socialement moins orageux fait découvrir que le schéma classique à la française (on débraye d'abord, on discute ensuite) est loin d'être universel. Dans bien d'autres pays, la grève est vue comme le dernier recours, l'« arme nucléaire » qu'on agite en espérant ne pas avoir à s'en servir. En France, nulle riposte graduée… La grève apparaît comme le point de départ incontournable des négociations.

Daniel Goeudevert, l'ancien dirigeant de Volkswagen, est idéalement placé pour comparer l'approche des relations sociales de chaque côté du Rhin : « La cohabitation patron-employés est prise bien plus au sérieux en Allemagne. Ça tient au fait que la cogestion y existe depuis longtemps. Les conseils d'administration sont composés à 50 % des employés, à 50 % du capital. Ça tient aussi à une longue tradition syndicale qui va chercher le consensus autour de la table plutôt que dans la rue. Il y a toute une culture d'entreprise selon laquelle s'entendre coûte beaucoup moins cher que de se combattre. Je ne me rappelle pas avoir vu, chez Renault, un syndicaliste pointer son nez à une réunion. En Allemagne c'est tous les jours, c'est la parité à tous les niveaux. »

En France, tout se passe comme si l'ouverture du dialogue devait se faire systématiquement sous la contrainte. Pour être pris au sérieux par le patronat et le gouvernement, les grévistes doivent montrer qu'ils sont nombreux et déterminés. Une telle approche entraîne nécessairement une course à la radicalité. Les séquestrations de dirigeants d'entreprise, les chantages à l'explosion d'usines ou les menaces de déversement de produits toxiques dans des rivières illustrent un jusqu'au-boutisme qui ne laisse pas de surprendre nos voisins européens.

Comme un match de boxe, chaque confrontation doit départager un vainqueur et un vaincu. Cette approche virile des rapports sociaux conduit à dédaigner la conciliation. La recherche du compromis est vue comme un aveu de faiblesse, voire de trahison. Nicole Notat, l'ex-secrétaire générale de la CFDT, en fit l'amère expérience lors des grandes grèves de décembre 1995. Sous peine de passer pour « un jaune » et un « social-traître », un dirigeant syndical français se doit de faire dans l'opposition systématique.

Selon Eurostat, le temple de la statistique de l'UE, la France est à la fois le grand pays européen où l'on se syndique le moins et celui où l'on compte le plus de jours de grève. Pour Daniel Goeudevert, qui durant son passage à la direction de Volkswagen en Allemagne avait l'habitude de négocier avec les représentants du personnel, ce paradoxe français n'est qu'apparent : « Comme il n'y a pas vraiment de syndicats, forcément ils sont obligés de crier plus fort. Un petit chien a toujours tendance à mordre plus facilement qu'un gros chien... »

Cette résolution du conflit par le conflit n'est pas une fatalité. La Suède n'est pas précisément un exemple de régression sociale. À l'instar de la France, ce pays modèle de la social-démocratie garantit un code du travail protecteur et un solide filet social financé par un niveau élevé de prélèvements obligatoires. Pourtant, les Suédois ne partagent pas le goût français pour les barricades.

Aux yeux de Didier Rechatin, ils ont une approche nettement plus apaisée des rapports humains, en général, et des relations au sein de l'entreprise, en particulier : « En France, tout avance par rupture. Il faut absolument que quelque chose de sanglant se passe. En Suède, ça fait deux cents ans qu'ils n'ont pas eu de guerre, ils ont rarement des conflits sociaux, et quand il en éclate un ça se passe quand même assez simplement. Il y a une volonté claire de protéger l'emploi mais aussi une meilleure compréhension du fait que l'entreprise est une chose vivante, que ce n'est pas une structure qui est là simplement pour verser un salaire et virer les gens en un claquement de doigts. »

Pour lutter, il faut être deux... Or, à cette irrésistible envie des syndicats d'en découdre (« ça va péter ! » aimait à répéter Marc Blondel, l'ex-secrétaire général de Force ouvrière) répond l'attitude hautaine et butée d'un patronat français qui n'a jamais brillé par son esprit d'ouverture. L'Histoire ne plaide guère en faveur d'une élite économique qui a toujours attendu d'avoir le pistolet sur la tempe pour faire des concessions. Invariablement, le patronat a fièrement assumé le rôle du méchant faisant feu de tout bois pour torpiller les avancées sociales promises par, tour à tour, le Cartel des gauches, le Front populaire ou la Gauche plurielle. S'il avait fallu attendre une « nuit du 4 août patronale », on connaîtrait encore, en France, le travail des enfants, la journée de 12 heures et l'absence de congés payés.

Dès lors, faut-il s'étonner que les salariés ripostent par des actions radicales et parfois brutales ? Certes, tous les chefs d'entreprise ne se comportent pas comme des patrons de droit divin, le « barreau de chaise » au coin des lèvres. C'est d'ailleurs pour tenter de secouer cette image poussiéreuse d'un patronat du XVIe arrondissement et du XIXe siècle que le Medef s'est choisi Laurence Parizot comme figure de proue. Son style tranche singulièrement avec celui de son prédécesseur, le baron Ernest-Antoine Sellière, qui fut l'incarnation de tout ce qu'on aime détester chez un grand patron.

Le rôle d'une organisation patronale est, par définition, de défendre les intérêts des entreprises. Par conséquent, le Medef est dans son rôle lorsqu'il répète à l'envi que, dans un monde extrêmement compétitif et globalisé, le poids des charges sociales, l'impôt sur les sociétés et le manque de flexibilité pénalisent l'outil de production et, en définitive, l'emploi français. Ces arguments ne devraient pas systématiquement être balayés d'un revers de main et dénoncés comme d'irritantes pleurnicheries de riches soucieux de protéger ou d'accroître leurs privilèges. Les doléances des chefs d'entreprise méritent d'être entendues, débattues et prises en considération. Mais les oreilles s'ouvriraient peut-être plus facilement à leurs arguments si les organisations patronales ne traînaient pas derrière elles cette solide réputation de fermeture au dialogue.

Il faut se garder des généralités en parlant des « entreprises françaises » comme d'un bloc monolithique au sein duquel les relations sociales seraient toutes régies de la même façon. Néanmoins, l'impression générale qui se dégage du monde de l'entreprise est celle d'un univers régi par des rapports de force et dominé par une hiérarchie pesante. Les manuels de management peuvent bien insister sur les vertus de la collégialité, une fois franchi le seuil du bureau et de l'atelier, c'est la loi du plus gradé qui semble prévaloir.

D'où, d'ailleurs, un certain formalisme dans les relations de travail auquel bon nombre d'expatriés de retour en France doivent se réhabituer. Il faut souvent renouer avec le « Monsieur » ou « Madame » pour s'adresser à son supérieur quand on avait coutume d'appeler son manager par son prénom, comme c'est généralement le cas dans les pays anglo-saxons. Quant au choix entre le vouvoiement et le tutoiement, le *you* anglais met tout le monde d'accord. Certes, l'utilisation du prénom et du « tu » n'adoucit pas forcément les mœurs et ne constitue pas une garantie absolue contre le harcèlement moral. Mais, intuitivement, on se dit que le proverbial petit chef français n'aurait peut-être plus le même pouvoir de nuisance s'il se laissait tutoyer et se faisait appeler par son petit nom.

En Suède, la désuétude du vouvoiement n'explique pas à elle seule la plus grande décontraction dans les rapports hiérarchiques. Pour Didier Rechatin, la distinction cruciale tient au rôle que l'on veut faire jouer aux cadres dirigeants : « En France, le chef, c'est celui qui est promu parce qu'il est réputé compétent dans son travail. Il est très intelligent, il sort de X ou de Centrale. En Suède, le chef, c'est celui qui sait bien faire travailler les autres, qui sait instaurer le consensus. Or, le fait de mettre quelqu'un à un poste uniquement pour sa compétence fait qu'il va être moins ouvert aux changements, aux modifications nécessaires pour que tout se passe mieux. Le chef sait tout. Du coup, le risque est qu'il ne s'inspire pas assez des gens qui sont au-dessous de lui. »

Le processus de décision au sein de l'entreprise française suivrait donc une voie à sens unique : les ordres partent d'en haut pour être relayés à chaque échelon. Les barrières hiérarchiques et la rigidité des statuts interdiraient une circulation à double sens. Depuis le Canada, où il est devenu le directeur technique de l'une des plus grandes sociétés de génie-conseil du pays, Fabrice Girerd en veut pour preuve sa propre expérience : « L'ironie, c'est que je discute directement aujourd'hui avec des directeurs de l'entreprise française pour laquelle je travaillais alors que, lorsque j'étais au sein de la société, ils ne m'auraient jamais adressé la parole. »

Il se souvient comme il lui fut facile, quand il voulut soumettre un projet d'importance, d'obtenir un rendez-vous avec le PDG d'Hydro-Québec (l'équivalent d'EDF dans la Belle Province) bien avant d'avoir lui-même accédé à un poste de direction : « En France il est rare de pouvoir parler ainsi à son grand patron. Ici, ça marche. » Outre la plus-value pour la société qu'une plus grande fluidité dans les échanges peut apporter, cette politique de la porte ouverte n'est-elle pas de nature à améliorer le climat social au sein de l'entreprise ?

Aux yeux de Daniel Goeudevert, plus d'un patron français apprendrait beaucoup en s'inspirant du modèle allemand : « S'entendre, ça veut dire : mettre les gens au courant au maximum de la vie de l'entreprise quelle que soit leur position. Bien sûr, à un moment, il faut prendre la décision. Mais elle aura été préparée dans une culture de dialogue qui n'existe pas en France. »

Ce réflexe bien français qui consiste à se tourner vers l'arbitre suprême, l'État, pour résoudre un conflit social illustre bien, selon lui, l'incapacité des deux parties à dialoguer et à négocier. « À un moment, en France, on ne s'occupe pratiquement plus de ce qui se passe dans l'entreprise et on va voir directement le gouvernement. En Allemagne, il faut des situations tout à fait exceptionnelles pour que le gouvernement soit sollicité. Une intervention du chancelier est rarissime. »

L'écoute ne serait donc pas le point fort des dirigeants français. Leur tête serait si remplie qu'il n'y resterait plus guère d'espace de cerveau disponible pour une valeur toute simple : l'humanité. Cette incapacité à nouer les fils d'un dialogue apaisé a été illustrée, l'an dernier, de façon tragique, par l'épidémie de suicides qui a endeuillé France Télécom. Pour Daniel Goeudevert, une « affaire Didier Lombard » serait tout bonnement « impensable » en Allemagne : « Je ne dis pas qu'il était responsable, mais il fallait donner un signal aux employés. Où était le signal ? Je suis convaincu qu'en Allemagne il y aurait eu un article de presse et que, le lendemain, le type se serait retiré. En France : non ! Lombard, qui est-ce ? C'est Polytechnique et toute la bande, soutenus par la droite avec Sarkozy qui dit : Ne cédez jamais, surtout quand on vous emmerde, montrez-leur que c'est vous qui avez le pouvoir. »

De fait, le troisième acteur dans ce bras de fer perpétuel ne s'illustre pas, lui non plus, par sa souplesse et son sens du compromis. Si la nation aime le conflit, l'État le lui rend bien. Traditionnellement, le dialogue et la concertation n'ont jamais été les qualités premières d'un État centralisateur qui ne perd jamais l'occasion de réaffirmer son autorité. Pour se faire respecter en France, l'État doit montrer ses muscles.

Ainsi, la « *force* publique » n'y est pas un vain mot. En témoigne une galerie impressionnante de portraits de ministres de l'Intérieur aux allures de pères fouettards : Georges Clemenceau, Jules Moch, Michel Poniatowski, Charles Pasqua, Jean-Pierre Chevènement, Nicolas Sarkozy... Pour être crédible, un « premier flic de France » se doit d'incarner une dureté républicaine presque virile.

Détenteurs de cette autorité, les agents de la force publique inspirent un mélange de crainte et de défiance au sein de la population, y compris de la part des « honnêtes citoyens ». Pour un Français installé en Grande-Bretagne, le contraste avec le « bobby » est on ne peut plus net. Cette différence d'attitude tient probablement à Napoléon. La police française telle que nous la connaissons a été conçue sous l'Empire pour servir l'État et contrôler ses citoyens tandis que la police anglaise, décentralisée, émane de la communauté et se doit d'assister les sujets de Sa Majesté.

Cette posture autoritaire de l'État n'est peut-être, après tout, qu'une réaction au caractère volatil du bon peuple de France. La prédisposition des Français au conflit et à la révolte rend en effet l'exercice du pouvoir bien périlleux. La légitimité des urnes ne protège jamais bien longtemps les gouvernants de la vindicte populaire. Vu de l'étranger, le poids de la rue face à un chef d'État et une majorité parlementaire démocratiquement élus est souvent vu comme un abus de pouvoir de la masse.

Entendons-nous bien : il ne s'agit pas d'accorder au président du moment carte blanche pour toute la durée de son mandat mais d'admettre que son élection lui donne au moins le droit de mettre en œuvre les politiques pour lesquelles il a été porté à la tête du pays. Il revient à l'opposition de contester au Parlement, et non sur les barricades, la validité des choix faits par le pouvoir en place. Sinon, le risque n'est-il pas de se retrouver avec des gouvernants impotents suspendant sans cesse les prises de décision impopulaires par peur de déplaire à la masse ?

De ce point de vue, les années Chirac furent un modèle du genre : douze ans durant, le « bulldozer » a évolué en marche arrière, reculant sans cesse devant la menace de la rue. Au final, qui peut prétendre que l'intérêt général sorte vainqueur d'une situation où les réformes promises par le parti choisi pour gouverner se fracassent irrémédiablement sur le récif des intérêts particuliers ?

C'est certainement un cliché historique, mais le constat n'en reste pas moins vrai : la France avance par révolutions plutôt que par évolution. En la matière, la mère de toutes les ruptures est, sans conteste, la révolution de 1789. Cet événement historique mythifié (il est intéressant de constater qu'à l'étranger c'est la Terreur qui, au moins autant que la Déclaration des droits de l'homme et du citoyen, retient l'attention) a fait des Français des sans-culottes dans l'âme. Cet acte originel semble légitimer toutes les formes de protestation, y compris le recours à la violence... Après tout, la prise de la Bastille ne s'est pas faite uniquement en dansant la carmagnole. Depuis, monter sur les barricades – réellement ou symboliquement – est un rituel que légitime l'Histoire.

Bien conscients de leur passé, les Français veulent croire qu'une révolution peut tout changer d'un seul coup d'un seul. « Tout est possible ! » s'exclamait Marceau Pivert, le représentant de l'aile révolution-naire de la SFIO, durant les grèves de 1936. La for-mule résume parfaitement cette croyance très française que du conflit peut naître un monde meilleur. D'où ce mépris à peine voilé pour le com-promis. Troquer la lutte pour le dialogue et la négo-ciation, c'est abandonner le rêve du « grand soir » censé instaurer un ordre juste et égalitaire.

Bien entendu, tout le monde en France ne sous-crit pas à cette croyance du coup de baguette magique révolutionnaire. Néanmoins, les mouvements sociaux y jouissent généralement d'un soutien bien plus large qu'ailleurs. Peu de pays pratiquent avec autant d'enthousiasme la grève par procuration : l'impopularité du gouvernement du moment justifie que l'on accorde son soutien à la contestation.

La grève à la SNCF et à la RATP qui paralysa la France pendant trois semaines en décembre 1995 est à ce titre un cas d'école. Le mouvement des cheminots avait beau être motivé par des intérêts catégoriels plus que par la défense du bien commun, cette action unitaire resta populaire jusqu'au bout malgré tous les désagréments occasionnés. Le tour de force fut de convaincre un pays déjà fatigué de Jacques Chirac et d'Alain Juppé que la lutte se faisait au nom de tous (« Tous ensemble ! »).

Vue de l'étranger, la France donne parfois l'impression de se laisser aveugler par une sorte de romantisme de la contestation. Les Français pratiqueraient collectivement un « conservatisme révolutionnaire », une agitation permanente destinée à ne jamais rien changer. La défense des fameux « acquis sociaux » serait une formule bien commode pour justifier le statu quo et le refus de réformes qui, si elles étaient mises en œuvre, pourraient pourtant profiter au plus grand nombre, à commencer par les exclus du marché du travail. Très répandue dans le monde anglo-saxon, cette vision d'une France arc-boutée sur ses privilèges est partagée par bien des expatriés qui y résident. Frustrés et découragés, ils observent leur pays s'enferrer dans des combats longs et coûteux à la moindre tentative de réforme.

Cependant, cette perception n'est pas à sens unique et peut être brouillée par des sentiments contradictoires. Tout en se désolant de cette addiction française au conflit, on peut trouver bien des vertus à cet esprit de résistance quand on réside dans des pays où la recherche du profit semble avoir écrasé toutes les autres valeurs. Ainsi, la mentalité hexagonale tranche souvent sur l'apathie générale que l'on peut constater ailleurs. Les Français donnent encore l'impression de se sentir concernés par la *Res publica*. Ils continuent de réagir en citoyens critiques et non pas en consommateurs amorphes acceptant docilement les effets indésirables de la mondialisation.

Au nom de l'efficacité et de la compétitivité, faudrait-il en effet déposer sagement les armes et accepter passivement les situations précaires, les salaires de misère, les entorses au droit du travail, les délocalisations, la malbouffe, l'uniformité culturelle ? La France renvoie l'image d'un pays qui n'a pas renoncé à débattre et à se battre au nom de certaines valeurs.

À l'inverse de bien d'autres pays où les droits du salarié ont été rognés et où la peur de s'exprimer les a réduits au silence, la France peut s'enorgueillir d'avoir gardé intacte cette capacité à résister. Dans une démocratie digne de ce nom, il est sain qu'un peuple trouve l'énergie suffisante de descendre dans la rue pour défendre les valeurs auxquelles il croit.

Toute la question est de savoir si cet esprit rebelle est toujours utilisé avec modération et à bon escient. Que la société française soit si régulièrement traversée de crises en tout genre (grèves dans le secteur public, jacqueries de paysans et de pêcheurs, mouvements d'étudiants et de lycéens, blocages des routes par les chauffeurs-routiers, occupations de bâtiments par les sans-logis, émeutes dans les banlieues...) peut difficilement passer pour le signe d'un dialogue social civilisé. L'exemple de la Suède, cité plus haut dans ce chapitre, montre que l'absence de conflit n'est pas forcément synonyme de régression sociale.

Vu de l'extérieur, la France donne l'impression d'un pays en guerre permanente contre lui-même. On peut toujours arguer que cet esprit rebelle constitue l'âme de la nation française et qu'il serait vain de vouloir la changer. À trop glorifier l'esprit de lutte, à toujours considérer le compromis comme une forme de compromission, n'en vient-on pas à s'interdire les bénéfices d'une paix sociale durable ?

En France, il est de bon ton de déplorer la fin de toute différence entre la droite et la gauche. Les grands clivages auraient été absorbés par un détestable consensus mou. Il est vrai que depuis le 10 mai 1981 on ne croit plus qu'une alternance politique puisse faire passer le pays « de l'ombre à la lumière ».

Même le député le plus sectaire n'oserait plus se lever de son siège de l'Assemblée nationale pour faire taire l'opposition d'un retentissant « Vous avez juridiquement tort car vous êtes politiquement minoritaires ! »

Notre nation rebelle aurait-elle perdu le goût pour ces conflits franco-français qui semèrent la zizanie dans les familles tout au long du siècle passé ? Si l'on regarde en arrière, on est effectivement tenté de conclure que la guerre des tranchées idéologiques n'a plus aujourd'hui la même intensité. Cependant, une comparaison avec d'autres nations occidentales rassurera les pourfendeurs de la pensée unique. Les expatriés peuvent en témoigner : même si les différences entre la droite et la gauche se sont atténuées, peu de nations ont gardé intacte cette capacité à se colleter à propos de la personnalité de leur président, du voile islamique, des réformes de l'école ou de questions aussi absconses qu'un traité de Constitution européenne.

La frontière entre la loyauté à ses valeurs et le dogmatisme est cependant ténue. À partir de quel moment la fidélité à ses idées devient-elle aveuglante et oblitère-t-elle le pragmatisme et l'efficacité économique ? « Il n'y a pas de politique de droite et de politique de gauche mais des politiques qui marchent et des politiques qui ne marchent pas », avait l'habitude de dire Tony Blair, reflétant une approche anglo-saxonne plus « désidéologisée » des problèmes qu'en France.

Isabelle Bessemoulin a vécu de 2004 à 2007 dans une Australie placée sous la férule de l'ultra-libéral John Howard qui fut, à bien des égards, « le George W. Bush australien ». Cette ancienne journaliste politique, aujourd'hui rentrée en France, a été aux avant-postes d'un système où seul comptait le résultat. C'est cette approche simpliste des problèmes qui l'inquiète : « Le pragmatisme anglo-saxon, la loi du "est-ce que ça marche ou est-ce que ça ne marche pas ?", ça évacue le débat éthique que l'on retrouve en France. Le pragmatisme, le libéralisme sont très manichéens. Derrière, les enjeux sont complexes, ils ne sont pas manichéens, ils ne peuvent pas l'être. Dans un monde global où tout est intriqué, il n'y a jamais de décisions simples. Or le libéralisme voudrait nous faire croire que tout est simple. »

Pour autant, n'y a-t-il pas un juste milieu entre un pragmatisme anglo-saxon qui estompe les clivages idéologiques et un romantisme révolutionnaire qui consiste, encore aujourd'hui, à préférer « avoir tort avec Sartre plutôt que raison avec Aron » ? Vivre à l'étranger, en particulier dans le monde anglophone, c'est être confronté à une approche plus terre à terre des problèmes avec un accent mis sur la réussite économique, l'initiative individuelle et l'esprit d'entreprise.

Est-ce à dire que vivre hors des frontières incite à se « droitiser », pour reprendre une grille de lecture très française ? Bien des expatriés de passage en

France se voient reprocher d'être restés trop longtemps exposés aux idées anglo-saxonnes. Ils souffri-
raient désormais du syndrome de Stockholm... En
réalité, ce cheminement n'est pas à sens unique.
Pour une personne ayant des convictions de droite,
la découverte d'un monde libéral sans pitié, avec des
services publics déplorables, peut tout aussi bien
amener à revoir un jugement jusque-là peu amène
sur l'étatisme et le dirigisme français.

L'idéologie s'accommodant assez mal d'un libre
vagabondage, piocher des idées à droite, à gauche et
au centre passe toujours difficilement en France. Il
est certainement heureux que la confrontation des
idées offre encore de vraies alternatives au lieu d'un
consensus mou qui étouffe tout débat. Mais la pour-
suite d'un vrai débat d'idées doit-elle forcément
s'accompagner d'une approche clanique et sectaire
des problèmes ?

La vie hors du territoire national ne pousse pas
forcément dans une direction politique plus qu'une
autre, elle aide seulement à prendre un peu plus de
distance, à oser soulever une chape idéologique qui,
jusque-là, vous dictait ce qu'il était de bon ton de
penser. S'ouvrir d'autres champs de vision, c'est
regarder son propre pays avec d'autres éléments de
comparaison et un point de vue peut-être plus équi-
libré.

Un pays très ouvert
sur lui-même

Un mythe tenace voudrait que Jules Verne n'ait jamais quitté la France. Sa passion livresque pour la géographie et les sciences aurait été une source suffisante pour inspirer ses innombrables romans d'aventure. Faute d'avoir parcouru le monde en 80 jours, il aurait tenté de le faire en 80 volumes...

Cette légende du romancier voyageant dans sa tête et laissant vagabonder son imagination sur des cartes d'atlas poussiéreux n'est pas tout à fait exacte. Cet amoureux de la mer, des voiliers et des paquebots a découvert l'Amérique, caboté en mer du Nord et navigué en Méditerranée... Autant de pérégrinations qui, à la fin du XIX⁰ siècle, étaient loin d'être une mince affaire.

Néanmoins, de son aveu même, Jules Verne n'a pas voyagé autant qu'il l'aurait souhaité et il n'a certainement pas parcouru toutes les contrées lointaines où il dépêchait les personnages de ses romans. Ce faisant, l'écrivain a démontré qu'une connaissance théorique du monde n'interdisait pas d'en parler avec conviction.

Outre une œuvre volumineuse et brillante, Jules Verne aurait-il légué à ses compatriotes cet aplomb à juger à distance le monde extérieur ? Le biologiste Michael Mourez a vécu au Gabon et aux États-Unis avant de s'installer au Canada, et il note chez les Français une propension à formuler des jugements péremptoires sur les autres pays, sans d'ailleurs l'érudition de Jules Verne : « Peu de gens ont une idée juste de ce qui se passe à l'étranger. Malgré cela j'entends souvent des jugements affirmés avec une grande autorité. Souvent, j'ai l'impression que mes interlocuteurs connaissent mieux que moi le pays où j'habite. »

Pour avoir longtemps vécu sur les terres de l'ennemi héréditaire, l'Angleterre, puis dans la puissante Amérique, l'écrivain Marc Levy a une certaine habitude des préjugés tenaces de ses compatriotes sur deux nations qui se prêtent plus facilement que d'autres aux idées reçues. « La chose la plus caricaturale dans la culture française, c'est le nombre de préjugés. C'est un mal qui dure depuis la Révolution. Ça fait partie, d'ailleurs, de ce comportement agressif qui nuit à l'image du pays en donnant l'impression que le Français est arrogant. Quand le Français sort de chez lui, il se rend compte que les choses ne sont pas comme on les lui a racontées. »

Bien entendu, la France n'a pas le monopole du préjugé. Ainsi, les Américains n'ont pas la réputation de considérer avec un excès de finesse les autres peuples n'ayant pas la chance de vivre sous la bannière étoilée. C'est souvent sans grande subtilité que les citoyens de la glorieuse Amérique regardent par-delà leurs frontières. Marc Levy peut en témoigner. Au milieu des années 1980, alors qu'il était un jeune entrepreneur français tentant l'aventure dans l'Amérique de Ronald Reagan, il n'était pas rare qu'on lui demande s'il y avait de l'eau chaude et de l'électricité dans les appartements parisiens. « Pour eux, le Français c'était le béret, la baguette et la Gauloise. Les toilettes étaient sur le palier et il n'y avait pas d'eau courante dans tous les immeubles. » Aujourd'hui, les Américains sont peut-être mieux informés sur l'état de la plomberie et des circuits électriques en France mais à chaque psychodrame transatlantique, les clichés les plus éculés ne manquent pas de ressortir.

Cette ignorance américaine, les Français pourraient s'en moquer bruyamment comme ils le font régulièrement si eux-mêmes ne se rendaient pas coupables de jugements aussi lapidaires que mal informés. Selon Marc Levy, la vie à l'étranger est le parfait antidote contre l'ignorance. Le romancier croit dur comme fer à une diplomatie du voyage : « Dans la mentalité de l'expatrié, il y a cette volonté d'être l'ambassadeur de sa culture et de celle du pays qui l'a accueilli. On est, je crois, trois millions de Français à l'étranger. Ce qui fait de nous trois millions de petites ampoules qui, chaque fois qu'elles s'allument, allument un petit bout de France à l'étranger. Et chacune de ces ampoules, quand elle rentre en France, ramène un peu de ce qu'elle a vu ailleurs. »

Mais pour jouer ce rôle d'« ampoule », encore faut-il être une lumière. Or, pour Michael Mourez, tous les Français de l'étranger sont loin de pratiquer une expatriation éclairée propre à enrichir le dialogue des cultures. Pour vivre cette expérience comme un « détour anthropologique », encore faut-il être prêt à s'ouvrir sur le monde. « Certains passent beaucoup de temps à s'étonner et à critiquer les us et coutumes des habitants de leur pays d'adoption temporaire. Ils n'ont pas, dans leur tête, quitté la France et se placent en donneurs de leçons. Ils envoient leurs enfants dans les écoles françaises, mangent français, lisent français, vivent français, passent leurs vacances en France. Ce sont les fameux "expats", les "coopérants". Ils sont un peu des vestiges des anciens colons disséminés aux quatre coins du monde à la grande époque des colonies françaises. Et, en plus, ils pérorent quand ils sont en France car, eux, sont des "expats". Ils ont par conséquent plus de vision, d'expérience et d'intelligence que les autres Français. »

Si la vie à l'étranger n'est donc pas une condition suffisante pour abandonner tous ses préjugés, la découverte d'autres horizons aide cependant à confronter ses a priori aux faits. Vu de chez soi, on a généralement une perception impressionniste des autres cultures fondée essentiellement sur le reflet, souvent simpliste, qu'en donnent les médias nationaux. La vie dans un pays étranger fait découvrir que cette réalité, brossée à grands coups de pinceau, est bien plus complexe. Soudainement, les Américains, les Anglais, les Allemands, les Japonais, les Chinois, les Suédois n'entrent plus aussi facilement dans des cases préétablies. À leur contact, le réel se complexifie, l'image se brouille. Les trop nombreuses exceptions à la règle, les contradictions inhérentes à chaque culture, les différences régionales et sociales internes cessent de donner au tableau ce bel ordonnancement jusque-là construit sur la base d'une vision globalisante. Plus on vit dans un pays, plus on peut d'ailleurs avoir le sentiment paradoxal de moins le comprendre.

Dès lors, c'est avec une pointe d'irritation que l'on accueille les jugements tranchants comme des rasoirs de certains compatriotes restés dans l'Hexagone. Si seulement les conversations pouvaient être plus souvent ponctuées de points d'interrogation que plombées d'opinions définitives ! À tous ceux qui, de l'extérieur, vous décrivent doctement comment vivent et pensent les gens de votre pays de résidence, vous êtes tenté d'opposer la fameuse formule socratique : « Tout ce que je sais, c'est que je ne sais rien, tandis que les autres croient savoir ce qu'ils ne savent pas. »

Résider à l'étranger, c'est, par définition, être un émigré aux yeux de vos compatriotes et un immigré pour les gens du pays qui vous accueille. Cette double identité amène régulièrement à prendre la défense tantôt des uns et tantôt des autres : « Quand je reviens en France je suis l'Anglais. Quand je suis en Angleterre je suis le Français. Je suis toujours celui qui défend l'autre, l'absent. Ça vous fait développer une nouvelle approche », confie Olivier Cadic, installé en Angleterre depuis quatorze ans.

Vivre hors de France, c'est retourner à l'école de l'humilité et cesser de prendre pour argent comptant le mythe gaullien de la « grandeur » supposée de notre vieille nation. Non, la France n'est pas ce phare de l'humanité vers lequel convergent six milliards de regards éperdus d'admiration. Si notre beau pays continue d'être associé au chic parisien, aux bons produits du terroir et à une production artistique et culturelle de qualité, « l'influence et le rayonnement de la France dans le monde » n'ont plus la portée que les hommes politiques français voudraient leur donner.

Quant à la Déclaration des droits de l'homme et du citoyen, bien des interlocuteurs étrangers vous feront remarquer que l'Histoire ne s'est pas arrêtée à l'année 1789 et qu'ensuite il y a eu la Terreur, le régime de Vichy, la torture en Algérie, le *Rainbow Warrior*, le génocide rwandais, la montée du lepénisme...

La France n'est, bien sûr, pas le seul État à abriter un certain nombre de cadavres dans ses placards.

Mais peu d'autres nations croient avec tant de force être porteuses d'un message à vocation universelle. Un peu trop convaincue de ses irréprochables créances « droitsdel'hommiennes » héritées de la Révolution, la France passe souvent pour un pays donneur de leçons. Dès lors, il ne faut pas s'attendre à beaucoup d'indulgence de la part de ses voisins quand « le pays des Lumières » ne se montre pas à la hauteur des sentencieux conseils qu'il prodigue au reste de la planète.

Ainsi, c'est avec une bonne dose d'ironie que les Allemands ont pris l'habitude de surnommer la France « la grande nation ». Comme pour mieux renforcer le cliché du coq gaulois prétentieux, arrogant et égocentrique, certains expatriés et touristes à l'étranger ont d'ailleurs cette manie de tout ramener à la France et de présupposer que leurs interlocuteurs sont forcément intrigués, voire en pâmoison, devant tout ce qui est né sous le glorieux signe de l'Hexagone.

Un peu plus de modestie, moins de « grandeur » ne feraient probablement aucun tort au légendaire rayonnement de la France, même s'il faut aussitôt ajouter que l'orgueil tricolore ne provoque pas que sarcasmes et soupirs d'irritation. Ce peuple si peu enclin à douter de ses convictions suscite aussi l'admiration. Et, après tout, si elle ne se confond pas avec un chauvinisme borné synonyme de repli sur soi, la foi en une « exception française » est loin d'être condamnable. Selon Claude Lévi-Strauss, l'ethnocentrisme n'est-il pas un ciment efficace contre le délitement d'une société[1] ?

La France continue de croire qu'elle a une identité spécifique l'autorisant à claironner ses valeurs à la face du monde. Malgré la globalisation, elle cultive sa différence et défend bec et ongles sa singularité diplomatique (l'affaire irakienne), économique (une forme de colbertisme) et culturelle (l'« exception française » défendue lors des négociations de l'Accord multilatéral sur l'investissement). Une telle pugnacité face à la pensée unique mondiale force l'admiration de tous ceux qui refusent le schéma d'un monde unipolaire dominé par les États-Unis.

Mais le risque est de chercher à exister en s'opposant, de jouer la mouche du coche dans l'espoir de hisser le pays à un rang d'importance que son statut de puissance moyenne ne lui donne plus. Depuis de Gaulle, la rhétorique anti-américaine bénéficie, à droite comme à gauche, d'un consensus politique d'autant plus large que cette posture trouve un écho favorable au sein de la population. L'actuel président de la République a été l'exception à la règle, même si « Sarko l'Américain » s'est vite rendu compte que son atlantisme un peu trop voyant ne lui donnait pas une once de plus-value en termes de popularité.

---

1. Claude Lévi-Strauss, *Race et Histoire*, Paris, Éditions de l'Unesco, 1952.

Le danger est donc de tomber dans un anti-américanisme aussi primaire que mal informé. « Je vis dans l'Amérique d'Obama qui, il y a encore un an, était l'Amérique de Bush. On dirait que tous les Américains ont changé en vingt-quatre heures, observe l'écrivain Marc Levy. Tous les Américains n'étaient pas à l'image de la caricature qu'on dessinait de l'Amérique de Bush, et tous les Américains ne sont pas angéliques et n'ont pas cessé d'être racistes depuis l'élection d'Obama. »

Trop souvent, avant cette soudaine poussée d'américanophilie, la vision française des États-Unis a été obscurcie par un anti-atlantisme qui interdisait de porter un regard apaisé et mature sur l'Amérique dont il était de bon ton de dire le plus grand mal avant l'arrivée à la Maison-Blanche d'un président thaumaturge. On peut, certes, s'en tenir à la vision peu charitable d'une nation égocentrique, dominatrice, inculte, décadente, obsédée par l'argent et les saintes écritures. « Les Français connaissent les États-Unis à travers des reportages racontant l'extrême et le sensationnel, ils voient le pays à travers les scenarii et les images des films qui exacerbent les situations et les paradoxes. D'une façon générale, l'ignorance conduit à des analyses ridicules, fondées sur des idées reçues aussi sommaires que candides », fait remarquer Charlélie Couture.

La vie sur place permet d'échapper à ces jugements hâtifs, globaux et définitifs qui empêchent

de regarder objectivement ce qui se fait de différent, et éventuellement de mieux, aux États-Unis.
La comparaison des systèmes de valeurs américain
et français ouvre la voie à une réflexion intéres-
sante sur nos deux schémas de pensée : « J'habite
et surtout je travaille aujourd'hui dans un pays
dans lequel on considère la notion de liberté
comme une affaire civile. Ici, la liberté s'acquiert,
observe CharlElie. À la fin du XVIIIe siècle, l'Amérique se dotait d'une constitution qui prône plutôt
une démocratie républicaine tandis qu'en même
temps, à la Révolution, la France choisissait
d'opter pour une République démocratique qui
confie à l'administration de l'appareil d'État la responsabilité de gérer les individus et leurs biens. En
France, on craint la société civile et l'on installe
des barrières sociales ou d'éthique, afin de limiter
les excès. On trouve que l'ambition est un défaut.
Aux États-Unis, on prône la réalisation et l'avène-
ment de l'Individu. À l'instar de Périclès, on ne
reproche pas à quelqu'un d'être pauvre, mais on lui
reproche de ne pas se battre pour ne plus l'être. Ici
c'est presque un défaut de ne pas tenter sa chance !
L'Amérique est un pays d'action plutôt que de
contemplation. C'est chacun pour soi dans un sens,
et pourtant les autres vous encouragent à dépasser
vos limites. »

S'il est de bon ton de dénigrer l'Amérique, même
si l'on admire secrètement sa réussite, la bienséance

veut qu'on s'abstienne de critiquer trop sévèrement nos voisins allemands. Avouer son germanophobie, c'est donner l'impression ringarde d'avoir « fait un blocage » sur la Seconde Guerre mondiale. Pourtant Daniel Goeudevert reste convaincu que les préjugés n'ont pas disparu, et ce malgré les nombreuses initiatives pour solidifier l'amitié franco-allemande : « Certains Français continuent de voir en l'Allemagne une nation toujours dominatrice sans s'avouer qu'il s'agit d'un complexe d'infériorité qui n'est pas surmonté. »

Cette méfiance vis-à-vis de la puissante Allemagne n'est pas une spécificité hexagonale. La germanophobie primaire dont peuvent, par exemple, faire preuve les tabloïds anglais est tout simplement d'un inégalable mauvais goût. Il n'empêche, cette relation ambivalente de la France à l'égard de ses voisins allemands témoigne de la permanence de certaines craintes inavouées.

Si le Rhin continue de charrier des peurs diffuses, la Manche, elle, alimente un flot constant de préjugés tenaces, aussi anciens que l'invasion du royaume d'Angleterre par Guillaume le Conquérant. La palme de l'indélicatesse et de la mauvaise foi revient, sans conteste, à cette même presse de caniveau anglaise dont les manchettes outrancières ont parfois des relents xénophobes. Les médias français, eux, n'échappent pas toujours à quelques réflexes cocardiers mais les critiques visant la

Grande-Bretagne atteignent rarement un niveau comparable de vilenie.

L'actualité anglaise exerce, en tout cas, une grande fascination au sud de la Manche. La vie politique au Royaume-Uni, l'influence diplomatique de l'ancien empire, les aventures de la famille royale, les turbulences à la City, le championnat de football, le talent des pop-stars anglaises, les faits-divers et les scandales retentissants, les inévitables bisbilles franco-britanniques... En Grande-Bretagne, un envoyé spécial permanent a rarement le temps de s'ennuyer. Les rédactions parisiennes se montrent très friandes de cette actualité britannique riche, variée et colorée. C'est aussi un pays que l'on aime voir sous un angle un peu caricatural et qui se prête assez facilement aux formules toutes faites (Ah, le fameux « shocking au royaume de sa gracieuse majesté » ou le non moins célèbre « flegme britannique » !). Sur place, le correspondant doit parfois se battre et ramer à contre-courant pour ne pas se laisser imposer de Paris l'image carte postale de l'Angleterre qu'on voudrait servir aux Français.

De 2002 à 2006, Jean-Marc Four a couvert l'actualité britannique pour Radio France. Durant ces quatre années, le journaliste a pu se rendre compte que la vision des Français de la « perfide Albion » (autre tarte à la crème journalistique) s'éloignait parfois grandement de la réalité des faits : « Mon expérience de correspondant m'a permis de comprendre que la perception de la Grande-Bretagne est totalement erronée concernant un aspect aussi fondamental que la démocratie. C'est aujourd'hui un pays bien plus démocratique que la France. Or, pour les Français, la Grande-Bretagne, c'est une monarchie avec une reine et voilà tout… On en déduit, par voie de conséquence, que ce qu'on pense en France de tous les autres pays est bien éloigné de la vérité. »

Durant ses années londoniennes, le correspondant de Radio France a souvent été amené à parler à l'antenne de Tony Blair dont l'exercice du pouvoir suscita, en France, une grande fascination et, dans une égale mesure, une forte répulsion. C'est pour rétablir quelques vérités obscurcies par une lecture très idéologique du personnage et de son action que le journaliste a publié un livre sur l'ancien Premier ministre, l'année même où celui-ci quittait la scène politique britannique[1].

Selon Jean-Marc Four, le « blairisme » est un cas d'école. Il illustre parfaitement les jugements lapidaires et définitifs que l'on affectionne en France : « Les Français ont leur grille de lecture, qui est celle d'un pays jacobin, assez bipolarisé, marqué par l'His-

---

1. Jean-Marc Four, *Tony Blair, l'iconoclaste. Un modèle à suivre ?*, Paris, Éditions Lignes de repère, 2007.

toire, et ils ont tendance à l'appliquer pour comprendre ce qui se passe ailleurs. C'est beaucoup moins pardonnable de la part des élites qui ont tous les moyens intellectuels nécessaires pour regarder les choses avec objectivité, or elles manipulent, elles utilisent, elles déforment… Une grande partie de la gauche a tenté de résumer le blairisme à des mesures de droite. Le blairisme, c'est quand même des centaines de milliers d'emplois publics créés, une opération de sauvetage majeure du système de santé, des réformes très "libérales", au sens anglo-saxon du terme, sur les questions de société. En bref, ce sont, suivant la grille de lecture française, des mesures de gauche. En France, on est incapable de se dire : Sur ce sujet-là, on n'est pas très bons, nos voisins font mieux, essayons de voir comment ils s'y prennent. »

C'est d'ailleurs l'état d'esprit qui anime l'émission quotidienne que Jean-Marc Four présente depuis son retour à la maison ronde : « Et pourtant elle tourne », diffusée sur France Inter à une heure de grande écoute, s'efforce d'ouvrir des fenêtres sur le monde en proposant un regard différent et décalé sur l'actualité internationale. Ce n'est pas précisément le genre d'émissions qui encombrent les grilles des grandes chaînes de télévision françaises. En vertu du principe kilométrique suivant lequel plus l'information est géographiquement éloignée moins les téléspectateurs s'y intéressent, « l'étranger » reste trop souvent le parent pauvre des journaux télévisés.

À l'exception de quelques ghettos culturels réservés à une élite diplômée, les médias de masse inondent rarement le public français d'un flot d'informations internationales. Ce principe de « la Corrèze avant le Zambèze » part du présupposé que l'audience préférera toujours entendre parler de son village plutôt que d'un pays situé aux antipodes. « Il y a un paradoxe absolu à nous dire toute la sainte journée que nous vivons dans un monde globalisé et, à côté de ça, à ne nous parler que de notre voisin. L'argument qui consiste à prétendre qu'on sert au public ce qu'il a envie d'entendre est terrifiant. C'est quand même un raisonnement digne du Front national et, en tout cas, très ringard. »

« Ringard »... C'est précisément le terme qui revient souvent dans la bouche des expatriés en redécouvrant la petite lucarne française. Bien sûr, il y a pire ailleurs. Mais aussi bien meilleur. « Si l'on compare à la BBC, il n'y a pas photo, considère Jean-Marc Four, cette dernière témoigne d'une mentalité nettement plus ouverte sur le monde. » D'autant que le public, si tant est qu'on prenne la peine de le lui proposer, est tout à fait disposé à s'intéresser à autre chose qu'à une chute de grêlons sur un village du Berry ou qu'au parcours du proverbial Petit Poucet dans la coupe de France de football. « On s'aperçoit qu'il y a des gens qui sont demandeurs d'ouverture sur l'étranger. Mais ils ne vont pas nécessairement manifester, par eux-mêmes, cette envie et c'est normal. Il faut le leur proposer ! »

Vue de l'étranger, la France donne encore trop souvent l'impression d'être très ouverte... sur elle-même. Ce n'est pourtant pas comme si les Français vivaient en vase clos, dans leur village gaulois, sans se soucier du reste du monde. Au contraire, ils montrent même un goût prononcé pour le petit jeu des comparaisons avec les autres pays. Il reste à faire en sorte que cette inclination à se regarder longuement dans le miroir du monde soit animée par un esprit d'ouverture et non motivée par un aveuglement narcissique.

Quand l'herbe
est moins verte ailleurs...

Ce sont parfois les scènes de la vie quotidienne qui font réaliser combien le regard sur son propre pays a changé. À force de vivre hors du liquide amniotique hexagonal, on devient plus conscient des avantages qu'offre la mère patrie. Et le fait que vos compatriotes, les jugeant naturels, n'y prêtent plus aucune attention suscite une certaine irritation.

Auparavant, en tant que « Français de l'intérieur », vous vous étiez habitué au 110 mètres-haies des milliers d'usagers du métro qui enjambent chaque jour les tourniquets de la RATP. Complice de cette resquille généralisée, vous teniez même aimablement le portique aux participants de cette joyeuse course à l'incivisme. Dorénavant, vous trouvez un tel comportement inacceptable et en venez à souhaiter une verbalisation en bonne et due forme.

Entre-temps, vous avez enduré quotidiennement les métros d'autres capitales, celui de Londres par exemple qui combine à la fois des tarifs prohibitifs et des pannes à répétition. Subitement, vous réalisez la chance que vous aviez, à Paris et dans les métropoles régionales françaises, de débourser une somme relativement modique pour un service performant et régulier.

Ce qui vaut pour les transports en commun est également valable pour les autres services publics. La vie à l'étranger fait découvrir que l'herbe est souvent plus jaune ailleurs. Or, c'est une réalité que les Français, dont les exigences ne semblent jamais assouvies, peinent à réaliser. Même lorsqu'ils en sont conscients au point d'en être parfois chauvins (ah cet inégalable TGV que le monde entier nous envie !), cette constatation ne semble être d'aucun effet sur le niveau de satisfaction de « l'aimable clientèle ». Une sortie prolongée du bocal national ferait mesurer à tous les insatisfaits chroniques de l'Hexagone qu'ils sont loin d'être logés à si une mauvaise enseigne.

De tous les services publics en question, le plus plébiscité par les Français de l'étranger est, sans conteste, la santé. Et pour cause. La France offre une qualité et un accès aux soins sans équivalent dans la plupart des pays développés. En 2000, l'Organisation Mondiale de la Santé n'a-t-elle pas décerné la palme d'or à la France considérant son système comme le meilleur au monde ? Certes, ce classement a parfois été contesté. Mais, justifiés ou non, ces bémols ne sauraient remettre en cause ce constat : les Français bénéficient globalement d'un système de santé de qualité ouvert à tous.

Beaucoup d'expatriés cotisent d'ailleurs à la Caisse des Français de l'étranger pour continuer à bénéficier de la médecine de leur pays. Certains de ceux qui vivent en Angleterre préfèrent traverser la Manche afin de se faire soigner en France plutôt que de lanterner sur une liste d'attente pour, au final, se voir prescrire du paracétamol.

Habitués à une certaine qualité de soins, les patients français ont souvent la dent très dure avec le National Health Service (NHS). Plus « public » qu'en France (les soins sont gratuits, les médecins payés par l'État), le système de santé britannique est aux antipodes du modèle américain qui, jusqu'à la réforme voulue par Barack Obama, excluait toute une frange de la population incapable de payer de coûteuses assurances privées. Fondé sur le principe de la solidarité, le NHS a cependant souffert d'un sous-investissement chronique sous les conservateurs et, malgré les sommes colossales investies par les travaillistes, la vénérable institution continue de traîner derrière elle une réputation (parfois exagérée) de lenteur, de lourdeur, d'archaïsme et de rationnement.

Pour bien des Français, la découverte que des restrictions budgétaires puissent barrer la route à des examens élémentaires est souvent un choc. « À trente-neuf ans, j'ai demandé une mammographie suite à la palpation de nodules, cela m'a été refusé par mon généraliste, pour cause d'absence d'antécédents familiaux et parce que j'étais considérée comme étant "trop jeune". Quelques semaines plus tard, lors de mon séjour en France, l'examen m'a tout de suite été proposé lorsque j'ai exposé mes symptômes à mon médecin traitant », raconte Laure, enseignante dans une grande université anglaise.

Telles des combattantes revenues du front, nombre de Françaises ayant donné la vie en Angleterre échangent des récits terrifiants d'accouchements chaotiques dont elles rendent responsable un manque d'équipement et de médecins. Laure ne pourrait jurer que le scénario catastrophe qui a accompagné la naissance de son premier enfant ne se serait jamais produit en France mais elle reste persuadée que le personnel médical y aurait été plus réactif.

Après plus de vingt-quatre heures de travail, une césarienne d'extrême urgence et la naissance d'un bébé qu'il a fallu ranimer, elle a contracté une infection qui s'est transformée en péritonite.

Trois semaines d'hospitalisation et de tâtonnements plus tard, au cours desquelles elle a dû se battre pour obtenir une radiographie, Laure repasse finalement sous le scalpel du chirurgien, cette fois pour une laparotomie exploratrice destinée à enlever les poches de sang accumulées dans son abdomen. « Ayant par la suite fait faire une vérification médicale en France, j'ai eu la claire impression que les examens (échographie, IRM, scanners…), par manque de moyens ou de personnel disponible, ne sont proposés que dans des cas extrêmes en Angleterre. »

Laure se refuse pourtant à jeter le bébé avec l'eau du bain et reconnaît même des vertus au NHS « lorsque les grossesses et les accouchements se passent sans complication ». Son expérience en Angleterre l'a cependant renforcée dans la haute opinion qu'elle se faisait déjà du système médical français : « Je ne suis pas sûre que les Français aient conscience de leur chance. J'observe les abus de toutes sortes qui provoquent une pression sur la Sécurité sociale, comme la prescription un peu trop systématique de traitements antibiotiques ou de confort, le plus souvent à la demande des patients. Je connais des personnes qui refusent systématiquement les médicaments génériques. En Angleterre, on ne vous pose même pas la question, vous prenez ce qu'on vous donne, et le nombre de cachets ou les doses de sirop sont comptés pour la durée exacte du traitement prescrit. »

Après la santé, le système éducatif est certainement l'autre grand service public dont les Français de l'étranger se languissent le plus. Du reste, beaucoup d'entre eux choisissent, quand ils le peuvent, de placer leurs enfants dans des écoles françaises. Avec 252 établissements scolaires à l'étranger, la France a l'un des réseaux les plus denses au monde. Hors des frontières hexagonales, l'école de la République (publique, laïque mais… payante à l'étranger) a plutôt bonne réputation. Les expatriés doivent généralement jouer des coudes pour y mettre leurs rejetons. Ils se retrouvent souvent en concurrence avec des parents de toutes nationalités et de milieux aisés pour qui l'école française est synonyme d'excellence. Quand elle habitait à Londres, Madonna en personne n'avait-elle pas jugé bon d'inscrire sa petite Lourdes au lycée Charles-de-Gaulle ?

Ce vote de confiance suggère que le système éducatif français ne fonctionne pas si mal. Bien entendu, le tableau est nettement moins rose et plus contrasté dans la France hexagonale. L'école de Jules Ferry n'offre pas à tous les enfants de la République le choix entre Louis-le-Grand et Henry-IV. Mais si la carte scolaire peine à garantir une parfaite mixité sociale, une comparaison avec les systèmes étrangers montre qu'il y a bien pire ailleurs.

Docteur en lettres modernes, Odile enseigne dans une université américaine après des études en Angleterre et une expérience dans l'enseignement supérieur en Irlande. Passée par la classe préparatoire littéraire du lycée Fénelon à Paris, il y a une vingtaine d'années, cette Guadeloupéenne se sent un pur produit de l'école républicaine pour laquelle elle dit garder « un profond respect ».

Étant donné les revenus modestes de sa mère à l'époque, elle doute que les pays par lesquels elle est ensuite passée lui eussent offert les mêmes opportunités. « Ce que j'apprécie le plus dans le système français, c'est son caractère démocratique, sa gra-

tuité, pour un niveau qui reste bon dans le public »,
considère-t-elle, bien consciente toutefois que son
expérience commence à dater.

De fait, la France ne connaît pas cette sélection
par l'argent qui, ailleurs, démarre dès le primaire et
aboutit à un système à deux vitesses : un enseignement privé de qualité pour les enfants de « bonne »
famille et une école publique nettement moins cotée
pour les élèves d'origine modeste. « Aux États-Unis,
l'éducation secondaire est catastrophique, ils le disent
eux-mêmes. C'est tout le contraire de la France : les
élèves sont fermés sur eux-mêmes, nuls en histoire
et en géographie, en langues, en orthographe et
grammaire, en maths, etc. En Grande-Bretagne,
l'enseignement est bon pour ceux qui ont la chance
d'aller dans des écoles privées, et pour quelques
autres réchappés. »

Quant à l'enseignement supérieur aux États-Unis,
un mur d'argent se dresse sur la route des étudiants
incapables de payer des frais universitaires exorbi-
tants : « Franchement, 40 000 dollars par an, pour
quatre ans, ce qui est la moyenne aux États-Unis,
c'est indécent. Il y a des bourses mais souvent elles
ne couvrent pas tout, et de toute façon elles ne
concernent que les meilleurs élèves en général,
même s'il y a des catégories spéciales pour les étudiants issus de milieux défavorisés. Avec un tel coût,
nombreux sont les parents qui n'envisagent pas
l'université pour leurs enfants. Un gros problème ici,

c'est l'endettement des étudiants à hauteur de plusieurs milliers, voire des dizaines de milliers de dollars en fin d'études. Les études de médecine, de droit, d'économie, de management sont hors de prix. Même s'il y a des inégalités en France, le système français me semble plus juste. »

La santé, l'éducation et la qualité de vie. C'est généralement le tiercé de tête que citent les Français de l'étranger. L'éloignement peut rendre les expatriés un tantinet mélancoliques et nostalgiques de ce « village au clocher, aux maisons sages » chanté par Charles Trénet.

Si le pays de résidence n'abrite pas la moindre vieille pierre, le manque se fait encore plus cruellement sentir. Installé depuis plus d'une décennie en Amérique du Nord, aux États-Unis puis aujourd'hui au Canada, Michael Mourez retrouve toujours avec émotion cette France pétrie d'histoire et de culture : « Les paysages, le patrimoine naturel et culturel me manquent énormément. Le voyage en TGV entre Paris et Nice me renverse à chaque fois. Que le paysage est beau, varié, coloré ! En Amérique il faut se déplacer pendant des jours pour avoir une telle diversité et aucun des paysages ne m'émeut autant, ne me fait rêver ou penser à l'Histoire. »

Il faudrait aussi en traverser des déserts avant d'étancher sa soif de culture. « Ce n'est pas que les États-Unis soient incultes. Mais la culture y est un produit de luxe, bon nombre d'événements culturels sont rendus possibles par de généreux donateurs privés et peu accessibles à la masse. La valorisation de la culture en France, par les différents niveaux de gouvernement, est, de ce point de vue, exemplaire. »

Avec sa richesse culturelle et patrimoniale, sa géographie variée, la diversité de ses régions, ses vins de pays, ses produits du terroir, la France est l'une des premières destinations touristiques au monde. Les Français peuvent légitimement s'enorgueillir d'habiter dans un tel pays. Le danger est cependant de laisser enfermer notre cher Hexagone dans cette image flatteuse mais passéiste d'un pays-musée où l'on vient se cultiver, passer des vacances et couler une paisible retraite. Plusieurs fois, lors de discussions sur les ondes anglaises, l'auteur a été amené à rectifier ces clichés pagnolesques qui constituent le fonds de commerce de certains journalistes-écrivains britanniques installés en Dordogne ou en Provence. Il est parfois utile d'affirmer haut et fort que la France n'est pas qu'un pays d'AOC et de fromages non pasteurisés où la pause déjeuner prend la moitié de la journée de travail.

Il est vrai, cependant, que la qualité de vie « à la française » n'est pas qu'une image d'Épinal. Au pays de la semaine de 35 heures, on travaille pour vivre et non l'inverse. En post-doctorat à Hiroshima, le Marseillais Benjamin Genovesi a pu mesurer tous les avantages à ne pas devoir trimer comme des « fourmis » selon la malencontreuse expression de la bouillonnante Édith Cresson : « Quel autre pays serait mieux placé que le Japon pour trancher avec notre culture du travail ? C'est probablement un cliché, mais vivre sans des grèves récurrentes et souvent injustifiées, ça change l'existence ! Mais je trouve quand même un côté positif à l'approche française : le fait d'avoir des moments de repos, de décrocher complètement le week-end en passant du temps avec ses amis et sa famille (pas ses collègues), d'avoir des horaires moins lourds… Toutes ces choses, qui manquent ici, font que les Japonais sont finalement très peu efficaces par rapport à nous. Au final, ils restent plus productifs car ils travaillent vraiment beaucoup, mais à quel prix ! Pour la plupart, les chercheurs japonais n'ont pas de vie de famille ou de vie personnelle épanouies, ils ne prennent pas le temps de profiter et je trouve que ça se ressent sur leur moral. »

À la City de Londres, Antoine C. a connu les journées de quinze-seize heures, les semaines sans week-end, les primes stratosphériques et les virées tristement ostentatoires où une bouteille de champagne vaut l'équivalent d'un Smic. Rentré en France après son licenciement d'une grande banque américaine en février 2009, cet ancien analyste financier a aujourd'hui le sentiment d'avoir redécouvert un peu de cette authenticité qui manquait à sa vie londonienne : « J'ai retrouvé avec bonheur un train de vie à la française plus centré sur l'idée de profiter de la vie. Disons qu'en Angleterre, c'est une conception différente : on va dans des restaurants branchés, avec des gens ambitieux, très intéressés par la réussite économique. En Angleterre, il s'agit surtout de consommer. En France, profiter de la vie, c'est apprécier des choses simples : être à la terrasse d'un café, prendre son temps, se balader, admirer l'architecture… Ça fait du bien de revenir à des plaisirs plus sains. »

Le chemin de Damas de l'ancien *golden boy* de la City ne s'arrête pas à son seul style de vie. La crise économique et financière, dont il a été à la fois l'un des artisans et l'une des victimes, a changé son regard sur ce « modèle français » dont il était – comme c'est souvent la règle dans les milieux financiers – un critique féroce : « Quand j'ai commencé à Londres, c'est vrai que je jugeais assez négativement la France. J'idéalisais beaucoup le système anglais. J'apprécie désormais un peu plus l'idée d'une exception française, d'un modèle différent. Il m'arrive même d'en être fier. À l'époque je croyais que la réussite anglaise était fondée sur les principes économiques d'un libéralisme et d'un capitalisme plus efficients. Mais le système britannique et la prospérité qui en découlait reposaient finalement sur des bases peu solides et qui étaient le fait d'un tropisme financier. Du coup, j'apprécie plus la richesse de la France. Je m'aperçois que les fondements y sont finalement plus sains et plus réels. »

L'ancien requin de la finance qui croyait dur comme fer à « la main invisible » des marchés ne s'est pas soudainement métamorphosé en chantre d'un dirigisme pur et dur, mais il est prêt à reconnaître aujourd'hui « les vertus d'un modèle social qui a tout de même permis d'amortir un peu la crise en France ».

Il est d'ailleurs parfois reproché aux enfants prodigues de la République d'aller s'enrichir égoïstement à l'étranger et, lorsque les choses se gâtent, de rentrer profiter d'un système français dont ils disaient pis que pendre. Le retour sans gloire de certains cowboys de la finance, chassés de Londres ou de New York par la crise, a suscité une colère somme toute assez compréhensible en France. Ainsi, les médias ont fait grand cas de ces ex-traders de la City rentrés pour toucher de généreuses indemnités-chômage.

En février 2009, après avoir perdu son poste d'analyste financier pour le compte d'une grande banque américaine, Antoine C., ancien de HEC, a repris ses études en France. À son retour, il n'a pas échappé à quelques remarques sarcastiques voire désagréables : « D'un côté, je comprends ce genre de réactions mais, d'un autre côté, si l'on regarde les choses à l'échelle européenne, les gens comme moi ont payé énormément d'impôts en Angleterre, et finalement ils bénéficient des accords européens entre les pays. »

Après plusieurs années passées dans des États où la qualité de vie est inférieure à celle de la France, les expatriés de retour au pays ont donc parfois plus de mal à accepter l'obstination française à voir systématiquement le verre à moitié vide. Mais ont-ils raison de se lamenter des lamentations de leurs compatriotes ? N'est-ce pas justement cet esprit râleur et revendicatif, ce côté « Monsieur Plus » des Français, qui garantit la sauvegarde d'un système souvent plus généreux qu'ailleurs ? N'est-ce pas précisément cette exigence et cette vigilance qui maintiennent les services publics à un niveau de qualité acceptable comparé à ceux d'autres pays ?

Les Français restent globalement attachés à une assurance-maladie et à un système de retraite plutôt généreux, à un revenu minimum d'insertion qui secourt les plus vulnérables, à une école républicaine qui défend le principe de l'égalité des chances, à des transports publics de qualité, à un accès à la culture démocratique... Mais – et c'est la grande question – comment préserver de façon réaliste cette fameuse qualité de vie « à la française » ?

Les multiples tentatives pour réformer l'État providence et le rendre un peu moins providentiel menacent-elles ce principe de la solidarité nationale, l'un des fondements du « pacte républicain » ? À l'inverse, à force de « charger la barque », ne risque-t-on pas de la faire couler ? Trop de solidarité ne risque-t-il pas de tuer la solidarité ? Pour sauvegarder l'essentiel, n'est-il pas nécessaire de consentir à certains aménagements du système au prix de certains sacrifices ? Le débat n'est pas simple.

Reprenons l'exemple de la santé. L'adaptation à un système moins généreux a été et reste douloureuse. Mais n'est-il pas normal de laisser à la charge intégrale ou partielle du patient des soins qui relèvent de la médecine de confort ? Les assurés ne doivent-ils pas admettre que la santé n'est pas gratuite et que s'ils veulent prendre soin de leur corps il leur faudra parfois payer comme ils sont prêts à le faire, sans rechigner, pour un écran plasma ou des vacances à la neige ? De tels choix ne sont-ils pas la meilleure garantie pour assurer la pérennité d'un système qui permet à tous un accès équitable aux soins en ne laissant personne souffrir inutilement, voire mourir à petit feu faute d'argent ?

Bien des Français expatriés aux États-Unis et dans d'autres pays développés, où la santé publique se réduit à sa plus simple expression, pourraient certifier que les sacrifices demandés aux assurés sociaux en France sont loin d'être aussi insupportables qu'ils le pensent parfois. Toute la question est, bien sûr, de savoir jusqu'où peut descendre le curseur sans prendre le risque d'aboutir à une médecine excluant les plus pauvres.

Le statu quo ou la réforme pour sauvegarder la glorieuse « exception française » ? L'inclination personnelle d'Isabelle Bessemoulin la pousserait plutôt à regarder avec circonspection les mesures allant dans le sens d'une plus grande « libéralisation » du système. En Australie, cette ancienne journaliste politique a vu, de ses propres yeux, toute la dureté d'un univers ultra-libéral sans la moindre pitié pour ceux qui ont le tort de ne pas être riches et bien portants. Elle se souvient ainsi d'une voisine et amie australienne forcée de vendre sa maison aux enchères sur les trottoirs de Sydney : après toute une vie de travail, sa modeste pension ne lui permettait tout simplement pas de survivre.

Pour autant, son séjour de trois ans en Australie a amené Isabelle à considérer les choix hexagonaux dans une perspective plus large. Elle a vu le « rouleau compresseur » libéral en action et se demande si l'« îlot français » peut, aujourd'hui, rester dans sa bulle sociale en ignorant superbement un environnement international extraordinairement compétitif et agressif. Ne pas bouger, ne rien changer, n'est-ce pas prendre le risque de se laisser écraser ?

À son retour en France, ce sont des interrogations que l'ancienne reporter de RTL soulevait régulièrement devant ses proches et ses amis. Les mises en garde de cette Cassandre revenue de l'autre bout du monde étaient souvent accueillies fraîchement : « Mes amis ont pensé que j'étais devenue ultra-libérale. Moi, j'ai gardé les mêmes convictions mais je pense que chacun doit contribuer un petit peu plus. Si les Français n'acquièrent pas cette énergie, cette capacité à changer que d'autres pays ont acquises et où il faut se battre seul, alors ça va être dur. C'est comme tout système institutionnalisé, étatisé, figé, même s'il est justifié, il faut le faire évoluer. »

En 2000, Lionel Jospin avait déclenché une jolie polémique en déclarant « l'État ne peut pas tout » à propos des licenciements massifs annoncés par Michelin. Cet aveu d'impuissance lui avait été durement reproché – il lui coûta peut-être les quelques dizaines de milliers de voix qui lui firent si cruellement défaut deux ans plus tard. Pourtant, le Premier ministre de l'époque ne faisait-il pas qu'énoncer une simple évidence ? Mais pour un socialiste, il est toujours très risqué de remettre en question le mythe de « l'État qui peut tout » comme Lionel Jospin l'a appris à ses dépens. Les Français restent attachés à l'image d'un « État providence », symbole de la solidarité nationale, qui reste le garant de services publics de qualité comme l'attestent les témoignages cités plus haut.

Or, la vie à l'étranger apprend souvent à se passer de ce maternage de l'« État nounou ». « C'est difficile à supporter, d'entendre les gens se plaindre de l'école, de l'université, de tout ce qui est gratuit en France. Rien n'était gratuit en Australie. Ni la retraite, ni la sécurité sociale, ni l'école, ni la fac… », considère Isabelle. C'est hors des frontières que l'on prend pleinement conscience de cette habitude bien française de s'attendre à ce que les solutions à tous les problèmes viennent d'en haut, des institutions plutôt que des individus. Comme si en envoyant leur chèque au Trésor public les Français déléguaient leur responsabilité personnelle et vaquaient à leurs occupations avec le sentiment du devoir accompli. « En Australie, j'ai aimé la façon qu'ont les gens d'apporter une contribution à leur communauté. Bien sûr, il y a un aspect très religieux dans tout cela. Tu contribues à l'école, par exemple, en repeignant les murs. Tu es partie prenante et partenaire de l'éducation de tes enfants, et pas seulement en payant tes impôts. »

Il ne faudrait pas minimiser le travail des très nombreuses associations et des organisations caritatives en France. Cependant, en rentrant de l'étranger, il est frappant de constater que les comportements individualistes sont au moins aussi marqués, sinon plus, que dans ces sociétés anglo-saxonnes où le chacun pour soi est censé régner sans partage. Tout se passe comme si la délégation des responsabilités aux institutions françaises aboutissait à une forme de « solidarité égoïste », chacun utilisant la « solidarité nationale » à son avantage sans se soucier de la conséquence de ses actes sur le reste de la communauté.

Dans un monde globalisé, comment rester fidèle aux idéaux de la France et à ses choix de société tout en les faisant évoluer pour prévenir leur calcification ? Répondre à cette question n'est certainement pas une chose aisée. La comparaison avec l'étranger n'est pas seulement utile pour s'inspirer de ce qui se fait éventuellement de mieux ailleurs. Elle permet aussi de mettre en relief ce qui se fait de mieux chez nous et, par là même, d'avoir une image plus claire de ce qu'il est important de préserver.

« Celui qui ne saisit pas le bonheur quand il vient ne doit pas se plaindre quand il passe. » La sage remarque de Sancho Pança adressée à Don Quichotte mérite d'être méditée. Avec un peu de recul, les expatriés se rendent compte que la France pourrait bien avoir un « bonheur national brut » par habitant parmi les plus élevés au monde. Le malheur, c'est que les Français s'ingénient à ne pas s'en apercevoir.

Le choc du retour

La République est bonne mère. C'est les bras ouverts que Marianne accueille les Français rentrés d'un long séjour à l'étranger. Chaque année, le ministère des Affaires étrangères édite un guide sobrement intitulé *Le Retour en France*. Ce fascicule de 110 pages tente de répondre à toutes les interrogations des « ex-expats » : sur le logement, le travail, les impôts, la Sécurité sociale, la scolarisation des enfants, la retraite, la vaccination du chien ou du chat... Rien n'est oublié.

De fait, revenir dans son propre pays peut s'apparenter à une nouvelle expatriation et nécessiter une période d'adaptation parfois plus longue et plus difficile. Dans l'introduction du guide, le ministère des Affaires étrangères prévient les expatriés : « Au-delà de ces aspects pratiques et administratifs, il est tout aussi important de se préparer psychologiquement au retour en France. En effet, plus l'expatriation a été longue et plus le décalage – "le choc culturel" – entre le pays d'accueil et celui du retour risque d'être profond. »

« Choc culturel »… Dans le cas de Jean-François Scordia, l'expression ressemble à un doux euphémisme. Solidement bâti, un rien gouailleur, ce Lorientais bourlingueur n'a ni l'apparence physique ni le tempérament du gars à plier à la première rafale de vent. Pourtant, trois ans de déconvenues hexagonales l'ont pratiquement démoli psychologiquement : « J'ai ressenti un énorme sentiment d'échec au point de douter de moi-même et de me dire : "est-ce que je suis aussi bon que je le pensais ou est-ce une idée que je me suis faite ces vingt dernières années ?" La France m'a mis à la limite de la dépression, il a fallu que je me secoue et que ma femme me secoue encore plus pour me remettre le pied à l'étrier et m'inciter à prendre la décision de revenir à New York avant que je ne devienne une loque. »

Avec le recul, Jean-François Scordia se dit aujourd'hui qu'il l'a échappé belle. Enlisé dans les problèmes d'emploi et d'argent, celui à qui tout avait souri jusque-là était à deux doigts de sombrer. Au début, le retour dans la mère patrie en 2002 avait pourtant tous les atours du rêve ensoleillé en train de se réaliser. Jean-François et sa femme américaine, Gee, avaient posé leurs valises aux Saintes, à Terre de Haut, l'une des dépendances de la Guadeloupe réputée pour sa baie magnifique et ses iguanes qui lézardent au soleil. Après des années, aussi rémunératrices que stressantes, de travail comme maître d'hôtel puis manager de restaurants haut de gamme à New York, Jean-François s'était dit que l'heure était venue de ralentir le rythme sous peine d'y laisser la santé. Le couple projetait d'avoir un enfant... Les Saintes paraissaient la destination idéale pour poursuivre dans l'hôtellerie, la chaleur des Antilles en plus, la frénésie de Manhattan en moins.

La première année fut plutôt encourageante. Sans être bondé midi et soir, « Vanilla », le petit restaurant de Jean-François et Gee, tournait correctement. Mais l'arrivée prochaine de l'enfant poussa le couple à aller s'établir sur Grande-Terre, les Saintes n'offrant que des services de santé très rudimentaires. « On a acheté un restaurant à Saint-François. Et là, ça a été la débâcle la plus complète. On a vu toutes les horreurs de la France. Les permis étaient impossibles à obtenir. Rien ne marchait. On devait recevoir des primes et des aides mais on a tout laissé tomber car c'était trop compliqué. Quant à ma femme, cela faisait deux ans que l'on essayait de légaliser sa situation pour qu'elle ait son titre de séjour mais il manquait toujours un papier. Pour finir, on devait avoir un crédit de la banque pour ouvrir le restaurant, mais entre-temps le directeur s'était fait virer et le nouveau directeur nous a refusé le prêt. Je me suis dit : "ce sont les îles, ici ça ne va pas marcher". »

Le bébé de quatre mois sous le bras, Jean-François et Gee décident alors de mettre le cap sur la métropole. Après un périple de vingt ans qui l'avait mené à Londres, aux Antilles puis à New York, l'heureux papa n'était pas mécontent de renouer avec sa Bretagne natale et de partager avec son fils ces paysages de bord de mer qui avaient bercé son enfance. Mais, on ne nourrit pas sa famille de nostalgie et d'air iodé…

Jean-François Scordia se met activement à la recherche d'un emploi, pensant que grâce à son expérience à l'étranger il n'aura guère de difficultés à trouver un poste à responsabilité dans la restauration, l'hôtellerie ou la gastronomie. L'ANPE locale le ramène brutalement sur terre en ne lui proposant qu'un modeste job de serveur payé dix fois moins que le poste de directeur d'établissement à New York où il avait la bagatelle de cent soixante employés sous ses ordres : « Je n'étais pas désespéré à ce point-là. Après vingt-cinq ans de métier, il y a des choses que je fais, d'autres que je ne fais pas. C'est comme si tu demandais à un astrophysicien d'aller compter des billes à la cantine. Je leur ai dit : "c'est comme ça que vous utilisez les talents que vous avez ? C'est pour ça qu'ils se cassent tous". »

Jean-François Scordia décide de se passer des services de l'ANPE et poursuit seul ses recherches en les élargissant à Paris et au sud de la France. Mais il se heurte au scepticisme et aux craintes que suscite son curriculum vitae trop reluisant. Il s'entend même répondre qu'il ne peut être embauché à cause de son expérience (« Ça n'est pas possible : vous en savez plus que le patron ! »). « Pour moi, il y a ce côté petit de la France qui ne veut pas grandir. Quelque chose qui peut amener un professionnel à faire marcher un business, on en a peur. On se dit : "on est bien comme ça, on fait ce qu'on a à faire mais il ne faut surtout pas en faire plus". »

Faute de trouver un travail à son niveau de compétence, Jean-François Scordia flirte un temps avec l'idée de se mettre à son compte : « Je me suis dit : tiens, est-ce qu'on ne pourrait pas ouvrir quelque chose, essayer de trouver un créneau, comme on fait à New York, où on a dix idées par jour ? Il y en a neuf qui ne donnent rien mais il y en a une qui va marcher au final. Au moins, on tente. En France, tu prends un coup de fusil avant d'essayer. »

A beau mentir qui vient de loin... Jean-François se heurte en plus au scepticisme des uns et des autres qui doutent de la réalité de son rêve américain : « Tu parles de ce que tu as fait, de ce que tu as vécu... Et les gens, même des amis de ton âge, te regardent avec des yeux de cerf pris entre deux feux. Ils ne comprennent rien. Ils pensent que tu leur racontes des conneries, que tu es mégalo, que tu te fais mousser. Et pourquoi ? Parce qu'une telle réussite n'est pas possible en France, ou juste pour une toute petite minorité. »

Les finances à sec, le moral en berne, Jean-François décide, en concertation avec sa femme, de repartir aux États-Unis en 2005. Pendant trois ans en France, il a tambouriné à toutes les portes sans résultat. À New York, il lui suffit de quelques coups de fil et moins de deux semaines pour retrouver sa place dans la Grosse Pomme. En France, il avait l'impression de « survivre », aujourd'hui à Manhattan il se sent « revivre ».

À la tête d'une société de « consulting » en vins et en alcool, Jean-François a renoué avec un niveau de vie qui lui permet de loger dans un confortable appartement avec vue sur l'Empire State Building. Quant à un possible retour en France ? C'est « non, avec une croix en rouge ». Le jour où la vie new-yorkaise sera devenue trop usante, il envisage d'aller s'installer... en Turquie, le pays d'origine de son épouse Gee.

Comment se réadapter à la vie française ? Si le fascicule édité par le ministère des Affaires étrangères peut aider à avancer dans la jungle de la bureaucratie hexagonale, il n'offre aucun remède au mal du pays que l'on vient de quitter. « Il y a une partie de ma tête qui est restée là-bas et qui restera là-bas », confie Isabelle Bessemoulin, rentrée d'Australie, en juin 2007, avec son mari Alexandre et leurs deux jeunes enfants Antoine et Anouk.

C'est la rançon d'une expatriation réussie : la réadaptation à la vie française n'en devient que plus difficile, le sentiment de décalage plus fort. Quand on quitte un pays qu'on ne reverra pas de sitôt, si ce n'est peut-être jamais, c'est un peu comme un deuil. Une fois passé le maelström des retrouvailles, il faut renouer avec le train-train, la grisaille parisienne et l'expression funèbre des banlieusards. Soudainement, Isabelle a ressenti le vide béant que le cher pays disparu avait laissé dans sa vie. Forcément, avec son soleil qui ne s'absente que la nuit, ses espaces infinis et ses barbecues toute l'année, l'Australie a des arguments contre lesquels la municipalité de Châtillon, où habite aujourd'hui la petite famille Bessemoulin, ne saurait lutter. « En plus, vous avez acquis des réflexes qui ne sont plus d'ici. À la maternelle, quand vous amenez les enfants, vous dites "bonjour", personne ne vous répond. Vous arrivez avec votre sourire, comme en Australie, où les gens sont souriants et positifs, mais tout le monde fait la gueule. Dans l'actualité française, il y a un côté étouffoir, tout est grave, tout est dramatique. Ce que vous prenez en pleine figure, c'est la lourdeur, le défaitisme, le manque d'entrain. »

À l'inverse de Jean-François Scordia, Isabelle a fini par se réadapter à la vie française. Le retour en France lui a permis de combler certains manques qu'elle avait ressentis plus ou moins consciemment à Sydney. C'est avec bonheur que cette ancienne journaliste politique devenue psychothérapeute a ainsi retrouvé le pays des Lumières où, entre la poire et le (bon) fromage, on se crêpe le chignon pour des idées : « Ça me manquait, la profondeur de réflexion qu'on peut trouver en France. On peut débattre sur tout, même sur l'épaisseur de la mie de pain... Au début, je me disais qu'ils se prenaient vraiment la tête pour rien. Et puis j'ai repris goût à ce débat éthique. À la radio australienne, vous avez une énergie, un sourire, l'envie de jouir du monde, de voir les choses du bon côté... Mais au bout de deux mois, vous êtes lassé de l'absence d'une vraie réflexion. »

En regardant son pays d'un œil neuf, elle saisit aujourd'hui combien la France baigne dans un vivier culturel bouillonnant et stimulant : « La vie culturelle m'a manqué, cette possibilité d'aller voir une pièce dans n'importe quel théâtre de banlieue ou de province... Vous avez des festivals en tout genre durant l'été. C'est quand même extraordinaire. Ça fait partie des choix faits par la France. »

Avant de laisser la Chine derrière lui, après cinq ans de vie à Shanghai, Philippe Laurent a réuni un conseil de famille histoire de remonter le moral des troupes en train de faire les bagages, la mort dans l'âme. En homme méthodique, tel un maître d'école devant son tableau, ce cadre d'Alsthom a dressé une colonne « plus » et une colonne « moins » pour convaincre ses quatre jeunes enfants qu'ils partaient vers : « un pays magnifique », « moins pollué », « avec une nourriture très variée », « de meilleures conditions d'hygiène », où se trouvaient « la famille et les amis ». Cette petite séance de préparation psychologique au retour a suffi à dissiper quelque peu le blues précédant le départ. L'atterrissage n'en a pas moins été difficile tant le décalage culturel entre la Chine et la France est apparu alors gigantesque.

Pendant cinq ans, l'horizon familier des Laurent avait été le quartier des Concessions, le vieux Shanghai (« pas les campoons d'expatriés »), où malgré la frénésie économique on prend le temps de s'arrêter sur les trottoirs pour discuter. Parlant couramment le mandarin, Philippe ne s'était jamais senti happé par la masse des quelque un milliard trois cents millions de Chinois. En revanche, à son retour en France, il a ressenti avec force le poids de l'anonymat parisien : « La Chine, finalement, c'est une grande famille. Les gens sont dans la rue, assis sur leur petit tabouret. Ça discute, ça parlotte, ça cancane, tout le monde sait tout sur tout le monde. Quand on rentre en France, tout cet aspect-là s'éteint. Les Français dans la rue sont finalement assez individualistes, peu soucieux de ce que fait le voisin. Donc, ça fait forcément un choc. » Philippe Laurent et sa petite famille ont d'ailleurs choisi de vivre à la campagne, près de Compiègne où, selon Philippe, il reste encore possible de « créer du lien social ».

La Chine a toujours fasciné ce passionné des cultures orientales. Étudiant, ce philosophe de formation avait passé un an à Taiwan pour « confronter la philosophie occidentale à la sagesse chinoise ». Plus tard, c'est avec l'idée d'aller vivre en Chine qu'il s'est fait embaucher par Alsthom en charge de la construction de la ligne 3 du métro à Shanghai. À ses yeux, les citoyens de la République populaire de Chine, vus à tort comme une masse anonyme et uniforme, s'avèrent bien plus adeptes de la différence que ne l'est le peuple français et ses supposées 365 sortes de fromages : « Nous, Français, on se complaît dans l'égal, on aime les gens qui se ressemblent, c'est pourquoi il est si difficile de pénétrer certains cercles dans des villes comme Paris, Lyon ou Bordeaux. Les Chinois, eux, aiment la différence. Ça tient au fait que la population chinoise est très diverse, il y a plus de cinquante-six ethnies, plus de cent dialectes. »

Malgré sa sinophilie sans limites, Philippe Laurent se garde bien de faire l'apologie d'un régime répressif et contempteur des libertés fondamentales. Vivre quelques années sous une dictature amène fatalement à apprécier à nouveau à leur juste valeur tous ces droits fondamentaux allant de soi sous nos latitudes démocratiques. Sans conteste, mieux vaut être un citoyen dans la République française, aussi imparfaite soit-elle, qu'un « camarade » dans une Chine communiste où l'expression du moindre désaccord peut vous mener derrière les barreaux.

Après cinq années passées dans « l'atelier du monde », Philippe a également eu l'impression de rentrer dans un pays qui avance au ralenti : « Comparée à la Chine, la France stagne, même si c'est surtout cette relativité qui donne une impression d'immobilisme. Ça avance ici aussi, mais beaucoup moins vite. » Il a été le témoin privilégié de l'énergie formidable et de l'abnégation sans bornes des travailleurs chinois prêts à se tuer à la tâche pour des salaires de misère, dans des conditions de travail souvent pénibles et des environnements parfois insalubres.

Rentré en 2004, Philippe le cadre philosophe a depuis quitté le groupe Alsthom pour monter sa propre société de management en entreprise. Dans ses bagages, il a rapporté un peu de cette sagesse confucéenne qui l'inspire. Il promeut désormais les vertus du bonheur au travail !

Le bonheur, Guy Cogeval, lui, l'a éprouvé à son retour en France après une longue expatriation au Canada. Conservateur de musée et historien de l'art, il est bien l'un des rares à se féliciter de retrouver son pays dans l'état dans lequel il l'avait laissé neuf ans auparavant. « Je remercie le Ciel tous les matins d'être revenu à Paris. Lorsque vous travaillez sur une matière qui est la culture, les arts de la fin du XIXe siècle en particulier, vous avez besoin tous les jours de voir des collections fabuleuses. Je suis parisien depuis ma plus tendre enfance ; dès l'âge de cinq ans j'avais l'habitude d'aller au Louvre. Malgré tout le prestige des musées nord-américains, les collections ne sont pas exactement du même niveau, surtout au Canada. C'était donc un retour aux sources que je souhaitais. J'ai toujours été attaché à la culture et à l'esprit français. Mais cela a pris une autre dimension depuis mon séjour à l'étranger. »

Que Paris soit ou non devenu une ville-musée en voie de calcification comme aiment à le répéter certaines revues anglo-saxonnes, Guy Cogeval se réjouit d'avoir renoué avec cette vieille Europe pétrie de culture. Dali avait décrété que la gare de Perpignan était le centre du monde, l'ancienne gare d'Orsay est désormais le point de gravité de Guy Cogeval. L'ex-directeur du musée des Beaux-Arts de Montréal est en effet le patron du musée d'Orsay depuis 2008.

Son éloignement canadien lui a donné une nouvelle perspective géographique pour considérer la place de la capitale française dans l'espace : « Lorsque vous êtes en Amérique du Nord, et en particulier dans la partie froide de l'Amérique du Nord, à Montréal, vous êtes quand même un peu isolé de tout, tandis qu'à Paris vous êtes à deux heures de TGV de Lyon, de Francfort, de Londres ou pratiquement d'Amsterdam. Ça, c'est miraculeux. La situation de la France par rapport au reste de l'Europe est une bénédiction. » À coup sûr, cet émerveillement pour la position géographique de l'Hexagone ne peut venir que d'un expatrié rentré d'un pays « excentré ». Combien de Français, en effet, se lèvent le matin en remerciant le Ciel de les avoir fait naître au carrefour de l'Europe ?

Après avoir subi la rigueur de neuf hivers québécois, Guy Cogeval, qui a toujours eu une sainte horreur de la neige, s'accommode désormais fort bien de la grisaille parisienne. Devenu président de « l'un des plus beaux musées du monde », ce spécialiste mondial du peintre français Édouard Vuillard voit dorénavant la vie française en rose. Ce ne fut pas toujours le cas...

Lassé des pesanteurs administratives, c'est « en serrant les dents » qu'il avait quitté la France pour le grand froid en 1998. Sa hiérarchie parisienne ne lui avait pas permis de mettre en œuvre ses projets iconoclastes. Ce qu'il perdit en degrés Celsius au Québec, il le gagna en liberté et en indépendance. À la tête du musée des Beaux-Arts de Montréal, il concrétisa ses rêves d'expositions (« Hitchcock et l'art », « Picasso érotique ») qui rencontrèrent un gros succès public de chaque côté de l'Atlantique.

Arrivé aujourd'hui au sommet de ses ambitions, Guy Cogeval se montre subitement plus tendre avec la mère patrie. Celui qui tempêtait, à distance, contre cette France qui, « dès que l'on propose les vrais changements, s'arrête comme au bord du précipice et regarde vers le passé[1] » a fait place à un président du musée d'Orsay plus prudent. « J'étais très négatif, jeune, beaucoup plus emporté, se justifie-t-il. Je suis devenu vieux et beaucoup plus rusé. Je ne dis pas toujours ce que je pense, je fais beaucoup plus attention. Il y aussi un autre fait qui tient à ma vie privée : j'ai eu un cancer qui a failli

---

1. Interview AFP TV mars 2006.

m'emporter en 2003, on avait même annoncé ma mort, à Paris. Ça m'a rendu bien plus calme, bien plus attentif. Et puis je mets entre parenthèses les problèmes. Il y a une manière d'éluder les difficultés. On peut négocier. À Montréal, je suis devenu un très bon négociateur. »

À rebours des idées reçues sur l'immobilisme congénital des Français, Guy Cogeval affirme avoir retrouvé « un pays qui a évolué radicalement, par moments, sans qu'on s'en rende toujours compte quand on reste en France. » D'ailleurs, lui-même apporte son coup de pinceau au ravalement de l'édifice culturel français en appliquant certaines méthodes de gestion « à l'anglo-saxonne ».

Au musée d'Orsay, il s'implique personnellement dans le *fund-raising*, la levée des fonds privés qui viennent compléter la subvention versée par l'État. « Lors de réunions entre présidents d'établissements culturels, avec les conservateurs, avec les syndicats, je dis au moins deux fois par séance : "En Amérique du nord ou en Amérique latine, c'est ça qui se passe." J'établis la comparaison pour montrer que la situation française est très relative. C'est un très grand avantage d'avoir vécu à l'étranger. J'ai l'impression de pouvoir trouver des solutions beaucoup plus rapidement. »

Les voyages forment la jeunesse... La formule a beau être usée jusqu'à la corde, elle n'en demeure pas moins vraie. Dans certains pays comme la Grande-Bretagne, les États-Unis, l'Australie ou la Nouvelle-

Zélande, nombreux sont les futurs étudiants qui, une année durant, vont parcourir le monde avant de démarrer leurs études. Cette *gap year*, élevée au rang d'institution, ne permet pas seulement de s'ouvrir à d'autres horizons, elle aide aussi à regarder son propre pays sous un autre angle.

« Je trouve que tous les Français devraient passer au moins un ou deux ans hors des frontières, argumente Guy Cogeval. C'est fondamental. Dans mon métier, on fait radicalement la différence entre les conservateurs qui sont partis un certain temps et ceux qui sont restés dans leur musée, je dirais un peu dans leur trou, toute leur vie. Il faut quand même une certaine ouverture d'esprit qu'un voyage peut apporter. Et ça, on le sait depuis le XVIe, quand les familles aristocratiques envoyaient leurs rejetons faire leur tour en Italie, en Grèce, éventuellement en Espagne. Ça faisait partie de la formation. Et je trouve qu'il n'y a pas suffisamment de monde à le faire. »

Même les « déçus de l'expatriation », tous ceux qui n'ont pas trouvé ailleurs l'eldorado dont ils rêvaient, s'accordent à dire qu'ils ont tiré des enseignements positifs de leur séjour à l'étranger. Mais si ces expériences sont valorisantes, sont-elles vraiment valorisées ? Dans certains secteurs d'activité, notamment à des postes élevés, une ouverture à l'international n'est pas seulement appréciée, elle est parfois tout simplement indispensable. Dans ce cas de figure, la valorisation va de soi.

Mais bien d'autres expatriés ne cachent pas avoir été déçus par l'accueil qu'on leur réservait une fois rentrés. Ils ne s'attendaient pas forcément à fouler un tapis rouge au bas de la passerelle de l'avion. Ils espéraient, plus modestement, une juste reconnaissance de leur parcours à l'étranger. Or, c'est loin d'être toujours le cas. Il suffit de jeter un œil sur les forums de discussion entre expatriés pour comprendre que le retour suscite bien des frustrations.

Trop souvent encore, un séjour hors des frontières est considéré avec un mélange de condescendance (seule l'expérience hexagonale semble importante), de suspicion (« a beau mentir qui vient de loin ») et d'attitude défensive (on prête facilement aux anciens expats un complexe de supériorité). Ce manque d'enthousiasme tient au fait que de tels parcours heurtent une grille de lecture parfois très franco-française des évolutions de carrière, une grille qui semble exclure du champ du possible les réussites atypiques. Plus d'un expatrié, à l'instar de Jean-François Scordia, le Breton reparti à New York, en ont fait l'amère expérience. On ne leur a pas toujours laissé la chance de prouver l'étendue de leurs aptitudes réelles ou supposées.

Combien sont-ils de Français à avoir ainsi raté leur retour en France et quitté, peut-être pour toujours, un pays dans lequel la réadaptation leur

semblait tout bonnement impossible ? Ce faisant,
combien d'opportunités gâchées et de talents inex-
ploités ? Dans un monde globalisé, n'est-il pas grand
temps pour la France de comprendre quel potentiel
représentent ces Français qui ramènent d'ailleurs
une capacité à penser autrement ?

CONCLUSION

Le 27 octobre 2009, le ministre français de l'Immigration, de l'Identité nationale et du Développement était en déplacement officiel à Folkestone, dans le Kent, au sud de l'Angleterre. Éric Besson venait inaugurer l'unité franco-britannique de « renseignements opérationnels » mise sur pied pour lutter contre les filières d'immigration clandestine. Deux jours plus tôt, sur les ondes françaises, le ministre avait sorti de son chapeau son débat controversé sur l'« identité nationale ».

Envoyé de Londres par Radio France pour couvrir la visite ministérielle, l'auteur lui demanda au cours du point presse concluant sa visite : « En tant qu'ancien socialiste, que répondez-vous à ceux qui vous reprochent de chasser sur les terres du Front national ? » Nul ne sait quelle partie de la question lui déplut le plus (la référence à son passé socialiste ou la suggestion d'un appel du pied à l'extrême droite), mais, visiblement, le ministre n'apprécia guère. En apprenant que le journaliste qui l'interrogeait vivait en Angleterre, il eut cette réponse étonnante :

« Ah, c'est pour ça, vous êtes mal informé. Personne ne dit ça en France ! »

Serait-ce donc cela ? L'éloignement empêcherait un Français de l'étranger de bien cerner les réalités de son pays ? Sa vision serait forcément déformée et peu au fait des débats en cours. Toute l'idée de ce livre est précisément d'affirmer le contraire. À l'heure d'Internet et des bouquets satellite, non seulement les expatriés sont très au courant des grands thèmes débattus en France mais leur point de vue est, de surcroît, enrichi d'une utile comparaison avec les pays dans lesquels ils résident. Forts de leur expérience, les « Français du dehors » ont autant de légitimité, et certainement le recul nécessaire, pour participer au débat voulu par M. Besson.

Car un regard nombriliste et franco-centré aidera-t-il vraiment à réinventer un modèle et une identité qui doivent sans cesse évoluer ? La réaction du ministre fait craindre que le débat voulu par le gouvernement n'aboutisse à célébrer une identité française statique et passéiste. La spécificité d'une nation devient vraiment apparente quand on peut la comparer à d'autres. Or, la position des expatriés les place aux premières loges pour mener cette réflexion critique (et non apologétique) sur ce que signifie aujourd'hui le fait d'être français.

Cette population ne correspond plus au vieux cliché des coopérants dont on trouve certes encore quelques vestiges, notamment en Afrique. La

« France de l'extérieur » est désormais aussi variée que la « France de l'intérieur ». Qu'elle ne soit pas enracinée sur le sol natal ne rend pas son opinion moins légitime sur les défauts et les qualités de notre nation.

Ce livre d'enquête n'a pas pour objectif d'ouvrir une boîte à outils avec des clés anglaises, des tournevis suédois, des marteaux américains et une perceuse allemande dont il faudrait absolument se servir pour retaper notre vieux pays. Il s'agit plus modestement d'offrir des pistes de réflexion sur ce qui peut être amélioré en ayant l'humilité nécessaire pour s'inspirer, sans forcément copier, de ce qui se fait hors des frontières.

La plupart des expatriés ne colportent pas un message de destruction du modèle français. La vie loin de son pays peut apprendre, comme on l'a vu, à apprécier plus encore ce qui fait la richesse et l'originalité de la France et, par là même, à mieux cerner ce qu'il est important d'y préserver. Ainsi, bien des Français de l'étranger, en première ligne dans la crise économique et financière, ont pu se rendre compte de la relative robustesse du modèle national.

L'erreur serait maintenant de se figer dans des certitudes et un immobilisme frileux. La France n'a d'autre choix que de se moderniser sans sacrifier les grands choix de société qui font sa spécificité. Ce juste équilibre entre l'adaptation à la globalisation et la loyauté à son système de valeurs est difficile à atteindre. Les expatriés, et parmi eux l'auteur de ce livre, ont la faiblesse de penser que leur regard extérieur peut aider à trouver ce point de gravité.

Bibliographie

Emmanuel Saint-Martin et Romain Gubert, *L'arrogance française*, Paris, Balland, 2003.

Hamid Senni, *De la cité à la City*, Paris, L'Archipel, 2007.

Jacques Monin, *Le Naufrage britannique*, Paris, La Table ronde, 2009.

Jean-Benoît Nadeau, Julie Barlow, *Sixty Million Frenchmen can't be wrong*, Naperville, Sourcebooks, Inc, 2003.

Jean-Marc Four, *Tony Blair, l'iconoclaste. Un modèle à suivre ?*, Paris, Éditions Lignes de repères, 2007.

Jean-Marc Sylvestre, *La France piégée*, Paris, Buchet-Chastel, 2008.

Joëlle Garriaud-Maylam, *Qu'est-ce que l'Assemblée des Français de l'étranger ?*, Paris, L'Archipel, 2008.

Jonathan Fenby, *Comment peut-on être Français ? Regard sur un pays exceptionnel*, Paris, Le pré aux Clercs, 1999.

Laurent Chambon, *Le grande mélange*, Paris, Denoël, 2008.

Nicolas Baverez, *La France qui tombe*, Paris, Perrin, 2003.

Philippe Alexandre, Béatrix de L'Aulnoit, *Trop d'impôts tue l'emploi*, Paris, Robert Laffont, 2005.

Rod Kedward, *La vie en bleu, France and the French since 1900*, Londres, Penguin, 2006.

Vladimir Cordier, *Enfin un boulot ! ou le Parcours d'un jeune chômeur français à Londres*, Londres, Evault First Publishing, 2007.

REMERCIEMENTS

Je tiens à remercier tous les Français de l'étranger qui ont bien voulu apporter leur témoignage dans ce livre. Ma reconnaissance va également à Éric Lehnisch, co-fondateur de www.contactsfrancophones.com, pour m'avoir permis d'entrer en contact avec plusieurs d'entre eux *via* son site Internet que je recommande vivement. Merci aussi au réseau des Dérouilleurs et à l'Association des docteurs ès sciences pour leur aide dans la recherche de témoignages, et toute ma gratitude confraternelle à Philippe Antoine à New York. *Last but not least*, je remercie Laure Ayosso pour sa précieuse relecture et ses conseils avisés.

Photocomposition Nord Compo
Villeneuve-d'Ascq

JOUVE
1, rue du Docteur Sauvé, 53100 MAYENNE
Imprimé sur presse rotative numérique
N° 505155F. - Dépôt légal : février 2010
35 57-4990-4/01

Imprimé en France en février 2010